Bestsellers

LUCIANO DE CRESCENZO

STORIA DELLA FILOSOFIA GRECA

Da Socrate in poi

ARNOLDO MONDADORI EDITORE

I edizione I libri di Luciano De Crescenzo novembre 1986
I edizione Bestsellers Oscar Mondadori ottobre 1988

ISBN 88-04-31490-7

Questo volume è stato stampato
presso Arnoldo Mondadori Editore S.p.A.
Stabilimento Nuova Stampa - Cles (TN)
Stampato in Italia - Printed in Italy

In copertina: un ritratto dell'autore
di Marinetta Saglio, Roma

Ristampe:

9 10 11 12 13 14 15 16 17

1997 1998 1999 2000

Storia della filosofia greca
Da Socrate in poi

Ho chiesto ad Apollo:
«Cosa debbo fare?»
E Apollo ha risposto:
«RIDI E FAI FOLLA GROSSA E COLTA.»
Lì per lì non ho capito,
poi ho anagrammato,
e ne è venuto fuori:
«STORIA DELLA FILOSOFIA GRECA.»
Delfi, 11 settembre 1986

I
Socrate

Come si fa a non innamorarsi di Socrate: era buono d'animo, tenace, intelligente, ironico, tollerante e nel medesimo tempo inflessibile. Di tanto in tanto sulla Terra nascono uomini di questa levatura, uomini senza i quali noi tutti saremmo un po' diversi: penso a Gesù, a Gandhi, a Buddha, a Lao Tze e a San Francesco. C'è qualcosa però che distingue Socrate da tutti gli altri ed è la sua normalità di uomo. Infatti, mentre per i grandi che ho appena nominato c'è sempre il sospetto che un pizzico di esaltazione abbia contribuito a tanta eccezionalità, per Socrate non esistono dubbi: il filosofo ateniese era una persona estremamente semplice, un uomo che non lanciava programmi di redenzione e che non pretendeva di trascinarsi dietro torme di seguaci. Tanto per dirne una, aveva anche l'abitudine, del tutto inconsueta nel giro dei profeti, di frequentare i banchetti, di bere e, se ne capitava l'occasione, di fare l'amore con un'etera.

Non avendo mai scritto nulla, Socrate è sempre stato un problema per gli storici della filosofia. Chi era veramente? Quali erano le sue idee? Le uniche fonti dirette che abbiamo sono le testimonianze di Senofonte, quelle di Platone e alcuni commenti «per sentito dire» di Aristotele; sennonché il ritratto lasciatoci da Senofonte risulta completamente diverso da quello di Platone e lì dove c'è coincidenza tra le due versioni è perché il primo ha copiato dal secondo; per quanto poi riguarda Aristotele permangono fondati dubbi sulla sua obiettività.

Senofonte, detto tra noi, non era un'aquila d'intelligenza filosofica: al massimo possiamo definirlo un generale di bell'aspetto e un buon memorialista. Da giovanotto aveva frequentato la dolce vita di Atene: simposi, palestre, gare ginniche eccetera, finché un bel giorno incontra Socrate in un vicolo stretto.[1] Il filosofo lo guarda fisso negli occhi, gli blocca il passo mettendogli il bastone di traverso e dice:

«Sai dove si vende il pesce?»
«Sì, al mercato.»
«E sai dove gli uomini diventano virtuosi?»
«No.»
«Allora seguimi.»

E fu così che Senofonte, più per darsi importanza con gli amici che per amore della saggezza, cominciò a seguire Socrate nelle sue passeggiate; dopo un paio di anni, però, forse esausto per il troppo discutere, parte volontario per la prima guerra che riesce a trovare. Frequenta le corti di Ciro il Giovane, di Agesilao re degli Spartani e tanti altri luoghi dove il suo maestro non avrebbe mai messo piede. Trascorre tutta la vita tra battaglie e scaramucce, militando quasi sempre in eserciti stranieri. Quando parla di Socrate, lo fa come se fosse il suo difensore d'ufficio: cerca di riabilitarne la memoria dopo il processo e ce lo presenta come un uomo integerrimo, bigotto e ossequioso verso le autorità. Se il ritratto di Senofonte è un po' convenzionale, quello di Platone (genio creativo per eccellenza) pecca dell'eccesso opposto: in altre parole, leggendo «i dialoghi» ci si chiede se l'eroe platonico esprima le idee di Socrate o quelle del suo autore. Così stando le cose non mi resta che raccontare

[1] Diogene Laerzio, *Vite dei filosofi*, II, VI, 48 (trad. it. di M. Gigante, Laterza, Bari 1962; 2ª ediz. riv. e accresciuta 1976).

tutto quello che so e lasciare che il lettore si faccia un'opinione personale.

Fisicamente Socrate rassomigliava a Michel Simon, l'attore francese degli anni Cinquanta, e si muoveva come Charles Laughton nel film *Testimone d'accusa*. Nacque nel 469 nel demo Alopece, un sobborgo a mezz'ora di cammino da Atene alle pendici del Licabetto. Per gli appassionati di astrologia diremo che doveva essere un Capricorno, essendo nato nei primi giorni dell'anno. La sua era una famiglia medio-borghese appartenente alla classe degli zeugiti (la terza e ultima, in ordine d'importanza, tra le classi di Atene che contavano qualcosa). Il padre, Sofronisco, era uno scultore, o forse solo uno scalpellino di periferia, e la madre, Fenarete, una levatrice.[2] Della sua infanzia non sappiamo praticamente nulla e, a essere sinceri, facciamo anche un po' fatica a immaginarcelo bambino: comunque, essendo di famiglia benestante o quasi, riteniamo che abbia seguito gli studi regolari come tutti gli altri ragazzi di Atene, che a diciotto anni abbia prestato il servizio militare e che a venti sia diventato oplita dopo essersi procurato un'armatura adeguata.

Da giovanotto di sicuro dette una mano in bottega al papà scultore, finché un bel giorno Critone, «innamoratosi della grazia della sua anima»,[3] non se lo portò via per iniziarlo all'amore della conoscenza. Diogene Laerzio, nelle sue *Vite dei filosofi*, racconta che Socrate ebbe come maestri Anassagora, Damone e Archelao e che di quest'ultimo fu anche l'amante[4] o per essere più precisi l'*eromene* (a quei tempi, quando c'era un rapporto amoroso tra due uomini, veniva chiamato *eraste* l'amante più anziano ed *eromene*

2 Platone, *Teeteto*, 149 a. (L'edizione italiana delle opere platoniche qui liberamente utilizzata è: *Opere*, 2 voll., Laterza, Bari 1966.)
3 Diogene Laerzio, *Vite dei filosofi*, II, V, 21.
4 *Ibid.*, II, V, 19.

quello più giovane). Su questa faccenda però degli amori omosessuali dei filosofi greci, prima di andare avanti e di considerare Socrate un gay, apriamo una parentesi e chiariamoci le idee una volta per tutte. L'omosessualità a quei tempi era cosa normalissima e non a caso è passata alla storia come «amore greco». Addirittura c'è stato chi, come Plutarco, l'ha definita «pederastia pedagogica».[5] A ogni modo non era oggetto di scandalo: quando Gerone, tiranno di Siracusa, s'innamora del giovanetto Dailoco, commenta il fatto dicendo semplicemente: «È naturale che mi piaccia ciò che è bello»;[6] che poi questo bello fosse un ragazzino, un uomo o una donna era un particolare da poco. I veri guai per gli omosessuali cominciarono con il cristianesimo: la nuova morale concepì il sesso solo come mezzo di procreazione e considerò peccaminoso qualsiasi altro tipo di rapporto sessuale, donde le persecuzioni e i pregiudizi assai diffusi ancora oggi.

Più in là negli anni Socrate ebbe altri amori di questo tipo tra cui quello celebre con Alcibiade. Contrariamente a quanto afferma Aristippo[7] nel quarto libro «sulla lussuria degli antichi» non fu Socrate a innamorarsi del suo allievo, bensì quest'ultimo di lui, come appare chiaro in questo straordinario passo del *Simposio* nel quale il giovane Alcibiade, un po' fatto a vino, confessa il suo disperato amore per Socrate:

«...quando lo ascolto molto di più che ai coribanti mi batte il cuore!»

E più avanti:

[5] Plutarco, *Dialogo sull'amore*, 750 d (cit. in R. Flacelière, *La vita quotidiana in Grecia nel secolo di Pericle*, trad. it. Rizzoli, Milano 1983, p. 147).
[6] Senofonte, *Jerone*, 1, 33.
[7] L'Aristippo di cui si parla non è il discepolo di Socrate, fondatore della scuola di Cirene, ma uno pseudo-Aristippo anonimo del III secolo a.C.

«Lo incontravo, o amici, da solo a solo e pensavo che presto mi avrebbe fatto quei discorsi che in genere fa un amante al suo amore quando si trovano soli, e per questo ero pieno di gioia. Ma purtroppo il tempo passava e non accadeva mai nulla: discorreva con me come sempre e, trascorsa insieme la giornata, mi piantava in asso e se ne partiva. Allora lo invitai a far ginnastica, sperando che almeno lì avrei potuto concludere qualcosa. Ebbene, egli faceva tutti gli esercizi con me, e spesso anche la lotta senza che ci fosse qualcuno presente, ma che debbo dire? Non ne veniva fuori nulla. Visto che in questo modo non ci riuscivo, mi parve necessario aggredire quest'uomo con violenza e non desistere finché la faccenda non si fosse chiarita. E così una sera lo invitai a cena, proprio come fanno gli amanti che tendono una trappola al loro amato. Ma neppure in questo modo ottenni qualcosa. Tuttavia col tempo piano piano si lasciò persuadere. Quando finalmente venne a casa, subito dopo cena voleva andarsene e io, un po' vergognandomi, lo lasciai partire. Ma la sera seguente preparai un'altra trappola, e dopo che ebbe cenato m'intrattenni a parlare con lui fino a notte inoltrata. Quando fece per andarsene, lo convinsi a rimanere col pretesto ch'era troppo tardi. Riposava sul letto accanto al mio. Nella stanza non dormiva nessuno, eravamo soli...»[8]

Socrate sposò Santippe quando aveva quasi cinquant'anni, forse più per avere un figlio che non una moglie. Fino a quel momento si era sempre tenuto alla larga dal matrimonio e, a chi gli chiedeva consiglio se doveva sposarsi o meno, rispondeva invariabilmente: «Fa' come vuoi, tanto in entrambi i casi ti pentirai».[9] Santippe,

[8] Platone, *Simposio*, 217 b-d.
[9] Diogene Laerzio, *Vite dei filosofi*, II, V, 33.

donna dal carattere forte, è passata alla storia come lo stereotipo della moglie rompiscatole e possessiva: non è escluso però che lo stesso Socrate non le debba qualcosa in termini di popolarità. Perfino il «Corriere dei Piccoli», negli anni Trenta, le dedicava ogni settimana una striscia che iniziava sempre con la stessa quartina:

Tutti sanno che Santippe
matta andava per le trippe.
Trippe a pranzo, trippe a cena,
Dio per Socrate che pena!

Sul rapporto Socrate-Santippe si è sempre un po' ricamato. Con ogni probabilità la loro vita coniugale doveva essere molto più normale di quanto non si pensi: lei era una casalinga come ce ne sono tante, dotata di senso pratico, gravata da problemi concreti, con uno (o tre) figli da crescere e con un marito che, a parte una piccola rendita lasciatagli dalla madre, non portava a casa una lira. Lui, un brav'uomo, ricco d'ironia, che le voleva bene e che la subiva con rassegnazione. Quello che più faceva andare in bestia Santippe era il fatto che il marito non le rivolgeva quasi mai la parola: tanto era ciarliero con gli amici per le strade di Atene, quanto taciturno a casa. Diogene Laerzio racconta che una volta, durante un litigio, Santippe s'infuriò a tal punto da tirargli addosso un secchio pieno d'acqua, al che Socrate commentò la cosa dicendo: «Lo sapevo che il tuono di Santippe prima o poi si sarebbe tramutato in pioggia».[10] «Ma come fai a sopportarla?» gli chiese un giorno Alcibiade. E lui: «Certe volte vivere con una donna del genere può essere utile come domare un cavallo furioso: dopo si è più preparati ad affrontare i propri simili nell'*agorà*.[11] E poi, cosa vuoi che ti dica,

[10] *Ibid.*, II, V, 36.

[11] Senofonte, *Simposio*, 2, 10, in: *Socrate. Tutte le testimonianze: da Aristofane e Senofonte ai Padri cristiani*, a cura di G. Giannantoni, Laterza, Bari 1971 (cfr. Diogene Laerzio, II, V, 26).

ormai mi ci sono abituato: è come sentire il rumore incessante di un argano».[12]

Aristotele c'informa che Socrate aveva anche una seconda moglie, una certa Mirto, figlia nientemeno che di Aristide il Giusto.[13] Secondo Plutarco, il filosofo si sposò due volte solo per bontà d'animo, giacché questa Mirto, pur essendo parente stretta di Aristide, era finita nella più nera miseria.[14] Altri invece sostengono che fosse solo una concubina che si era trascinata in casa una sera che aveva bevuto. A ogni modo, moglie o amante che fosse, Mirto gli regalò due figli, Sofronisco e Menesseno, che, messi insieme a Lamprocle, il primogenito, figlio di Santippe, portarono a tre la discendenza del filosofo. La cosa non deve poi tanto meravigliarci dal momento che il governo di Atene, per aumentare il numero degli ateniesi veraci, incoraggiava i cittadini ad avere più figli con donne diverse.[15]

Sul triangolo Socrate-Santippe-Mirto c'è un divertente brano tratto da un'opera di Brunetto Latini.[16] A titolo di cronaca ricordo che l'autore in questione è quel famoso «ser Brunetto» che Dante Alighieri colloca all'Inferno, nel girone dei sodomiti.[17] La citazione non ha alcun fondamento storico, però ci fa capire come nel Medio Evo fosse visto il rapporto Socrate-Santippe.

«Socrate fue grandissimo filosafo in quel tempo. E fue molto laido uomo a vedere, ch'elli era piccolo malamente, el volto piloso, le nari ampie e rincazzate, la testa calva e cavata, piloso il collo e li omeri, le gambe sottili e ravolte.

[12] Diogene Laerzio, *Vite dei filosofi*, II, V, 36.
[13] Aristotele, fr. 93 Rose (cfr. Diog. Laer., II, V, 26).
[14] Plutarco, *Vita di Aristide*, 27, in *Vite parallele*, trad. it. di C. Carena, Einaudi, Torino 1958.
[15] Diogene Laerzio, *Vite dei filosofi*, II, V, 26.
[16] Brunetto Latini, *Fiori e vita di filosafi e d'altri savi e d'imperadori*, cap. VII, La Nuova Italia, Firenze 1979.
[17] Dante Alighieri, *Inferno*, XV, 32.

E aveva due mogli in uno tempo, le quali contendeano e garriano molto spesso perché il marito mostrava amore oggi più all'una e domane più all'altra. E questi, quando le trovava garrire, si le innizzava, per farle venire a' capelli e faceasine beffe, veggendo ch'elle contendeano per così sozzissimo uomo. Sì che un giorno, faccendo questi beffe di loro, che si traeano i capelli, quelle in concordia si lasciarono e vengorli indosso e mettollosi sotto e pélallo, sì che di pochi capelluzzi ch'egli avea no li ne rimase uno in capo.»

A proposito di guerre, Socrate fu un buon soldato, anzi diciamo pure un buon *marine*: nel 432 viene imbarcato insieme ad altri duemila ateniesi e mandato a combattere a Potidea, una piccola città nel nord della Grecia che si è ribellata allo strapotere di Atene. Siamo in piena guerra del Peloponneso: gli ateniesi, temendo che la rivolta possa estendersi a tutta la Tracia, sono costretti a inviare sul posto una spedizione punitiva. È in questa occasione che Socrate si guadagna la sua prima medaglia al valore salvando la vita al giovane Alcibiade: lo vede ferito sul campo di battaglia, se lo carica a cavalluccio e lo porta in salvo tra una selva di nemici. Non è tanto però il coraggio del filosofo a sorprenderci, quanto la sua totale indifferenza ai disagi della guerra: in proposito sentiamo che cosa ci racconta lo stesso Alcibiade nel *Simposio*:

«Fummo insieme sul campo di Potidea e avevamo il rancio in comune. Tanto per cominciare, non solo era superiore a me nelle fatiche militari, ma anche agli altri. Quando ci capitava di dover sostenere la fame, come spesso avviene in guerra, tutti noi al suo confronto non valevamo un bel niente. Nelle baldorie invece era lui solo a godere fino in fondo. Non che lo volesse, ma quando lo si forzava a bere era capace di battere tutti senza mai cadere ubriaco. Quanto poi a sopportare l'inverno, che al nord è tremendo, faceva addirittura miracoli. Un giorno c'era un gelo da inorridire: tutti si erano rintanati nei rifugi e quelli che uscivano all'aperto, avevano cura di avvolgersi in una incredibile quantità di panni e di fasciarsi i piedi con feltri e pellicce; ebbene lui se ne andò in giro con la gabbanina di sempre e, scalzo, camminò sul ghiaccio come se niente fosse, tanto che alcuni soldati pensarono che li volesse mortificare. Un'altra volta, tutto assorto in una qualche idea, si piantò ritto in mezzo al campo, fino all'alba, a meditare; e poiché non ne veniva a capo, continuò, sempre restando immobile, a pensare anche durante il giorno. Quando si fece mezzogiorno alcuni uomini, accortisi di questo suo strano atteggiamento, cominciarono a dirsi l'un l'altro: "Socrate se ne sta impalato dall'alba in un qualche pensiero". Alla fine alcuni Ioni, scesa la sera, giacché quella volta era estate, portarono fuori i giacigli e si misero a riposare all'aperto per controllare se fosse rimasto piantato lì tutta la notte. Ed egli vi stette finché non vide spuntare di nuovo l'alba.»[18]

Questo racconto di Alcibiade ci fa ritenere che Socrate fosse capace di cadere in catalessi, come accade ad alcuni sciamani in India. Certo che l'uomo era del tutto indifferente ai comforts della vita moderna. Il suo abbigliamento abituale, sia che facesse caldo o freddo, era costituito da una specie di tunichetta chiamata *chitone*, o al massimo da un *tríbon*, un mantello di stoffa che aveva l'abitudine di portare direttamente sulla pelle, drappeggiandoselo sulla spalla destra (*epí déxia*). Sandali o maglie di lana neanche a parlarne. Per quanto riguarda poi i generi di lusso, non c'era nulla che lo potesse interessare. Un giorno si fermò davanti a un negozio di Atene e, guardando la merce espo-

[18] Platone, *Simposio*, 219 e-220 d.

sta, esclamò stupito: «Ma guarda di quante cose hanno bisogno gli ateniesi per campare!».[19]

Otto anni dopo l'assedio di Potidea, lo vediamo combattere contro i Beoti. La battaglia si mette subito male per gli ateniesi: dopo il primo scontro le truppe di Atene vengono sbaragliate e messe in fuga. Anche Socrate e Alcibiade sono costretti a ritirarsi.

«Io era tra i cavalieri e lui tra gli opliti» racconta Alcibiade, «e qui ammirai Socrate ancor più che a Potidea: pareva che camminasse, guardando superbamente a destra e a sinistra. Indietreggiava squadrando con calma amici e nemici e mostrando a tutti che se qualcuno avesse osato toccarlo, egli si sarebbe difeso strenuamente.»[20]

A quarantasette anni viene di nuovo chiamato sotto le armi e partecipa alla campagna di Anfipoli: anche in questa occasione fa il suo dovere di soldato. È strano come un uomo, che ha tutti i requisiti per essere considerato un non violento, un Gandhi del V secolo, una volta sul campo di battaglia diventi un ottimo combattente. Il fatto è che Socrate, nei confronti della patria e delle autorità costituite, è sempre stato, nel medesimo tempo, un rivoluzionario e un osservante delle leggi. Ecco due episodi che ci fanno capire quali fossero le sue convinzioni morali.

Un giorno Crizia, diventato il capo del governo dei Trenta Tiranni, ordina a Socrate e ad altri quattro ateniesi di prelevare a Salamina il democratico Leonte e di portarlo ad Atene, per poi condannarlo a morte. Per tutta risposta il filosofo se ne torna a casa come se non gli avessero detto nulla, ben sapendo che questa mancata ubbidienza avrebbe potuto costargli la vita. Buon per lui che Crizia nel frattempo muore. È lui stesso a raccontarci l'episodio nella *Apologia*: «E allora io feci vedere agli ateniesi che della morte

[19] Diogene Laerzio, *Vite dei filosofi*, II, V, 25.
[20] Platone, *Simposio*, 221 b.

non me ne importava un bel niente, mentre molto m'importava di non commettere ingiustizia o empietà verso Leonte».[21]

Un'altra volta viene sorteggiato come giudice e partecipa al consiglio dei Pritani. Quel giorno devono essere giudicati dieci strateghi, per non aver salvato la vita ad alcuni marinai ateniesi caduti in mare, durante la battaglia delle Arginuse. Chiaramente è un caso di giustizia sommaria, non essendo possibile accertare quale comandante si sia reso colpevole di omissione di soccorso e quale no. Il popolo vorrebbe una condanna indiscriminata. Socrate invece si oppone e affronta con serenità le minacce dei parenti dei naufraghi.[22]

Purtroppo per Socrate, non ci fu un'eguale serenità di giudizio quando toccò a lui salire sul banco degli imputati: accusato di *empietà*[23] dal giovane Meleto, venne condannato dai suoi concittadini a bere la cicuta. Questa della empietà è una storia davvero strana: mentre nella vita quotidiana gli ateniesi si dimostravano molto tolleranti in fatto di religione, in alcuni casi particolari bastava esprimere anche il minimo dubbio sulla esistenza degli Dei per trovarsi nei guai. La verità è che ad Atene nessuno faceva caso alla religiosità degli altri, ma ogni scusa era buona per far fuori un avversario politico o uno come Socrate che con la sua dialettica inesorabile minacciava ogni giorno il potere costituito. Tra i filosofi accusati di *empietà*, ricordiamo Anassagora, Protagora, Diogene di Apollonia e Diagora: tutti, tranne Socrate, si salvarono con la fuga.[24] A questo punto però, invece di raccontare il processo, così come ce lo hanno tramandato Platone e Senofonte, cerchiamo di riviverlo

[21] Platone, *Apologia di Socrate*, 32 c.
[22] Platone, *Ibid.*, 32 b.
[23] *Empietà*: atto sacrilego, vilipendio della religione di stato.
[24] Jacob Burckhardt, *Storia della civiltà greca*, trad. it. Sansoni, Firenze 1955, vol. II, p. 27.

«in diretta» e mettiamoci nei panni di due dei cinquecento giudici: tali Eutimaco e Callione.

«Callione, figlio di Filonide, anche tu fra gli *eliasti*: a quanto vedo, preferisci giudicare il tuo vecchio maestro piuttosto che goderti il calore del letto e della dolce Talessia.»

«Non mi sembra, o Eutimaco, di essere il solo questa mattina ad aver visto l'alba. Il Sole non aveva ancora fatto capolino dai monti dell'Imetto, che già la città brulicava di ateniesi assetati di giustizia. Pensa che dove abito io, allo Scambonide, tanti erano i cittadini che si avviavano all'*agorà* per assistere al processo di Socrate, che non si riusciva nemmeno a camminare per le strade. Ho visto molti mercanti affidare le botteghe agli schiavi più fedeli e molti *amides*[25] svuotati nel buio dai piani superiori tra le proteste dei passanti. Insomma c'era in giro una strana eccitazione, come se invece che a un processo ci si recasse tutti alle *oscoforie*.[26]»

Siamo nel febbraio del 399 avanti Cristo, è ancora notte fonda, migliaia di ateniesi si dirigono verso l'*agorà*. Ogni cittadino si fa precedere da uno schiavo con una torcia accesa. A quell'epoca ci voleva poco a intasare una strada di Atene: Plutarco racconta che le vie erano così strette che, a evitare collisioni, ogni qual volta si usciva di casa, c'era l'obbligo di bussare alla porta per avvisare i passanti.

Man mano che passa il tempo, davanti alle urne dei sorteggi s'ingrossa la fila degli aspiranti giudici. Gli schiavi pubblici, facenti funzione di polizia urbana, per impedire alla folla dei curiosi d'invadere le zone riservate ai prescel-

[25] *Amis* (pl. *amides*): «il vaso che è necessario tenere in camera». Cfr. Aristofane, *Vespe*, v. 935; *Tesmoforiazuse*, v. 633.

[26] *Oscoforie*: festeggiamenti in onore di Dioniso. Le feste iniziavano con un corteo di ragazzi e ragazze (non orfani) che portavano rami di vite carichi d'uva e finivano con un'ubriacatura generale al grido di *eleleu iu iu*.

ti, tengono tesa davanti agli ingressi la «corda vermiglia», una fune rossa dipinta di fresco, che, macchiando un cittadino, lo avrebbe privato per un anno dei *misthos ecclesiasticos*, ovvero dei diritti di assemblea.

La giustizia, ai tempi di Pericle, era organizzata in questo modo: gli arconti, ogni inizio d'anno, sorteggiavano seimila ateniesi di età superiore ai trent'anni e costituivano l'*Eliea*, ovvero il serbatoio dal quale, volta per volta, avrebbero prelevato i cinquecento giudici di ciascun processo. Il secondo sorteggio, quello definitivo, aveva luogo la mattina stessa della causa e questo per evitare che gli imputati potessero corrompere i giudici. Per eseguire i sorteggi giornalieri all'ingresso dei tribunali erano stati predisposti dei marchingegni di marmo, chiamati *cleroterion*, con delle fenditure orizzontali, dentro le quali ciascun candidato avrebbe introdotto una tavoletta di bronzo con le proprie generalità. Queste tavolette erano in pratica delle vere e proprie carte d'identità: portavano inciso il nome, il patronimico e il demo di provenienza. Ad esempio: «Callione, figlio di Filonide, del demo Scambonide Z». Questa ultima lettera stava a indicare che Callione apparteneva alla sesta sezione della sua tribù. Una volta introdotta la tavoletta, un meccanismo interno faceva rotolare, attraverso una serie di condotti, un dado bianco o un dado nero: a seconda del dado che usciva dal *cleroterion*, il cittadino veniva ammesso o no alla giuria. Per la loro opera i giudici ricevevano un gettone di presenza: tre oboli al giorno, più o meno il 60 per cento della paga di un operaio.[27]

«Lo scorso anno» dice Eutimaco «il Fato mi ha favorito quattro volte: tre come giudice popolare e una come giudi-

27 Robert Flacelière, *La vita quotidiana in Grecia nel secolo di Pericle*, trad. it. cit., cap. IX.

ce del *Freatto* in un processo che si tenne in primavera nei pressi del Falero.[28]»

Il *Freatto* era un tribunale speciale che si riuniva solo se bisognava giudicare un ateniese già condannato all'esilio. L'imputato, non potendo contaminare con il proprio corpo il suolo della patria, era costretto a difendersi da una barca, a qualche metro dalla riva, mentre i suoi giudici si disponevano lungo la spiaggia.

«Giudicammo Auriloco, il figlio di Damone» racconta Eutimaco. «Essendo io amico del padre, avrei fatto di tutto per salvargli la vita; ma le prove a suo carico erano tali e tante che sono stato costretto a pronunciarmi per la condanna a morte.»

«Anche per Socrate temo che non ci sia nulla da fare» sospira, sinceramente dispiaciuto, Callione. «Sono troppi quelli che si sentono stupidi al suo confronto, e nessuno è più vendicativo di colui che si accorge di essere inferiore.»

«Se verrà condannato a morte, può prendersela solo con se stesso: Socrate è l'individuo più presuntuoso che sia mai nato al mondo!»

«Ma se dichiara a tutti di non sapere nulla» esclama Callione, «di essere un ignorante!»

«Ed è proprio questo il colmo della sua presunzione!» ribatte Eutimaco. «È come se dicesse a tutti gli uomini: "Io sono un ignorante, ma tu che non sai di esserlo sei ancora più ignorante di me!". Ora è naturale che a forza di insultare il prossimo, prima o poi qualcuno reagisce e te la fa pagare. Anzi, sai che ti dico? È davvero strano che il vecchio sia arrivato fino a settant'anni senza essere mai stato esiliato una sola volta per *ostracismo*![29]»

[28] Falero: antico porto di Atene, prima dell'arcontato di Temistocle.
[29] Sull'*ostracismo* cfr. R. Flacelière, *op. cit.*, cap. IX; Jacob Burckhardt, *Storia della civiltà greca*, cit., vol. I, p. 7; J. Carcopino, *L'ostracisme athénien*, Alcan, Paris 1935.

L'*ostracismo* era una strana procedura molto in voga a quei tempi, una specie di elezione all'incontrario. Quando un ateniese si convinceva che un suo concittadino avrebbe potuto nuocere in qualche modo alla *polis*, non doveva fare altro che recarsi all'*agorà* e scrivere il nome del suo nemico su un'apposita pietra di ceramica (*óstracon*). Non appena la persona presa di mira totalizzava 6000 segnalazioni, aveva dieci giorni di tempo per salutare amici e parenti, dopo di che era costretto a prendere la via dell'esilio. La condanna poteva durare dai cinque ai dieci anni, a seconda del numero di coloro che avevano firmato. Nessuna giustificazione era dovuta da parte della cittadinanza. Questa pratica era stata voluta da Clistene, il vero fondatore di Atene, come espediente contro il mito della personalità. Plutarco la definisce «una moderata soddisfazione generata dall'invidia».[30] Se fosse in vigore oggi, chissà quanti politici, quanti personaggi televisivi e quanti campioni sportivi dovrebbero espatriare! Non è il caso di fare nomi, ma ogni lettore è libero di compilare una sua lista di indesiderati.

Appare Socrate. Ha un'aria serena: indossa il solito *tríbon* e cammina appoggiandosi a un bastone di rovere.

«Eccolo lì, il vecchio irriducibile:» esclama Callione «a guardarlo sembra che, invece che a un processo per *empietà*, si stia recando a un simposio: sorride, si ferma a parlare con gli amici e saluta tutti quelli che vede!»

«È il solito rompiscatole:» protesta Eutimaco più astioso che mai «fra l'altro non si rende conto che il popolo lo considera colpevole e lo vorrebbe impaurito e supplicante.»

Nel frattempo Socrate è salito sul palco: si è messo alla sinistra dell'arconte-re e attende con pazienza che il cancelliere dichiari aperto il processo.

30 Plutarco, *Vita di Aristide*, 7.

«Eliasti:» proclama il cancelliere «gli Dei hanno scelto i vostri nomi dall'urna, perché voi possiate assolvere o condannare Socrate, figlio di Sofronisco, dall'accusa di *empietà* che gli è stata rivolta da Meleto, figlio di Meleto.»

Nei tribunali di Atene non esisteva la figura del Pubblico Ministero. L'accusa poteva essere condotta da un qualsiasi cittadino che lo faceva a suo rischio e pericolo: se il colpevole veniva condannato, incamerava la decima parte del suo patrimonio, se invece era assolto pagava una multa di mille dracme.[31] Così pure non esistevano gli avvocati difensori. Gli imputati, colti o analfabeti che fossero, dovevano difendersi da soli e, quando non se la sentivano, avevano la possibilità, prima del processo, di convocare un *logografo*, ovvero un legale di fiducia capace di scrivere un testo di difesa da imparare a memoria. Eccezionali *logografi* furono Antifonte, Prodico, Demostene e Lisia.[32]

«La parola a Meleto, figlio di Meleto» annunzia il cancelliere, indicando un giovane ricciuto e ricercato nel vestire.

Meleto sale sulla tribunetta riservata all'accusa: il suo viso è altero e sofferente, come è lecito attendersi da un poeta tragico. Egli vuol far credere di essere dispiaciuto di dover infierire su un vecchio come Socrate.

«Giudici di Atene!» inizia a dire il giovanotto, girando lentamente lo sguardo per coprire tutto l'arco dei giudici che gli sono di fronte. «Io Meleto, figlio di Meleto, accuso Socrate di corrompere i giovani, di non riconoscere gli Dei

[31] L'accusatore veniva multato per mille dracme solo nel caso che non ottenesse almeno il quinto dei voti a favore dell'accusa.
[32] Sui *logografi* cfr. J. Burckhardt, *op. cit.*, vol. II, pag. 43; R. Flacelière, *op. cit.*, pag. 297.

che la città riconosce, di credere ai dèmoni e di praticare culti religiosi a noi estranei.»

Un lungo mormorio sale dalla folla: l'attacco è secco e preciso. Meleto tace qualche istante per meglio sottolineare la gravità di ciò che ha appena detto, poi riprende a parlare scandendo le parole a una a una:

«Io Meleto, figlio di Meleto, accuso Socrate di darsi da fare in cose che non gli competono; d'investigare su ciò che è sotto la terra e che è sopra il cielo e di discorrere con tutti e di tutto, tentando ogni volta di far apparire migliore la ragione peggiore. Per questi reati chiedo agli ateniesi che egli venga mandato a morte!»

A quest'ultima frase tutti si voltano verso Socrate per osservarne le reazioni. Il filosofo ha sul volto un'espressione di meraviglia: più che un imputato, sembra uno spettatore. Eutimaco dà di gomito a Callione e commenta la situazione dicendo:

«Ho paura che Socrate non si renda conto in che guaio si sia venuto a cacciare. Meleto ha ragione: tutti sanno che Socrate non ha mai creduto agli Dei. Si dice che un giorno abbia detto: "Sono le nuvole e non Zeus a provocare la pioggia, altrimenti, se dipendesse solo da Zeus, vedremmo piovere anche quando è sereno".»[33]

«In verità,» obietta Callione «è Aristofane che fa dire queste cose a Socrate e non è Socrate a dirle.»

Il processo intanto prosegue il suo corso e, dopo Meleto, salgono sulla tribuna altri due accusatori: Anito e Licone.

«Mi ha raccontato Apollodoro» dice Callione «che ieri sera Socrate ha rifiutato di farsi aiutare da Lisia.»

«Gli aveva scritto un discorso di difesa?»

«Sì, e pare che si trattasse di un discorso straordinario.»

[33] Aristofane, *Nuvole*.

«Lo credo bene: il figlio di Cefalo è il migliore di tutti ad Atene! E perché mai ha rifiutato?» chiede Eutimaco.

«Non solo ha rifiutato, ma ha anche rimproverato Lisia per la sua offerta di aiuto. Gli ha detto: "Tu con i tuoi trucchetti verbali vorresti ingannare i giudici per il mio bene. E come pensi di perseguire il mio bene se nello stesso tempo trami contro le Leggi?".»

«Il solito presuntuoso!»

Anito e Licone hanno appena terminato il loro intervento. Il cancelliere capovolge la clessidra ad acqua che controlla il tempo delle arringhe e proclama:

«E adesso la parola a Socrate, figlio di Sofronisco!»

Socrate si guarda intorno, come se volesse prendere tempo, si gratta dietro al collo, dà uno sguardo all'arconte-re e subito dopo si volta verso i giudici.

«Io non so quale impressione abbiate provata voi, o ateniesi, a sentire le ragioni dei miei accusatori. Certo che è stata tale e tanta la persuasione di costoro che, se non si trattasse della mia persona, anch'io crederei alle loro parole. Il fatto è che di vero questi cittadini non hanno detto proprio nulla. E adesso perdonatemi se da me non udrete un'orazione adorna di belle frasi. Io parlerò così come sono abituato a fare, alla buona, ma in compenso cercherò di dire sempre il giusto, e voi solo a questo dovrete badare: se le cose che sto per dire... saranno o non saranno giuste!»

«Eccolo lì che comincia con i suoi discorsi tortuosi!» esclama Eutimaco dando segni d'insofferenza. «Per Zeus, quanto mi sta antipatico!»

«Calmati, Eutimaco!» lo prega Callione. «E fammi sentire.»

«Voglio raccontarvi» dice Socrate «di uno strano episodio che capitò a Cherofonte, mio carissimo amico fin dalla giovinezza. Un giorno egli si recò a Delfi e osò porgere all'oracolo questa strana domanda: "C'è qualcuno al mondo più sapiente di Socrate?". E sapete che cosa rispose Apollo Pizio? "Non c'è nessuno al mondo più sapiente di Socrate." Immaginatevi la sorpresa quando Cherofonte mi riferì il responso: che cosa avrà mai voluto dire il Dio? Io so di non sapere né poco né molto, e dal momento che il Dio non può mentire, mi chiedo: che cosa avrà nascosto sotto l'enigma? Di ciò può essere testimone il fratello di Cherofonte, giacché lui non è più tra i vivi.»

«Io vorrei sapere che c'entra tutta questa storia di Cherofonte con l'accusa di *empietà*!» sbotta Eutimaco. «Se c'è qualcosa che non sopporto in Socrate è proprio il suo modo di prendere le cose tanto alla lontana: solo per questo lo condannerei a morte!»

«E per capire il messaggio del Dio» continua Socrate con la massima calma «mi misi in giro e andai da uno di quelli che hanno fama di essere sapienti. Il nome non ve lo dico, o ateniesi: vi basti sapere che era uno dei nostri uomini politici. Ebbene questo brav'uomo mi parve sì che avesse l'aria del saggio, ma che poi in realtà non lo fosse per niente. Allora provai a farglielo capire e lui per questo mi prese in odio. Subito dopo mi recai da alcuni poeti: presi in mano le loro poesie, o almeno quelle che mi parevano migliori, e a loro domandai che cosa volessero dire. O cittadini... provo vergogna nel dirvi la verità... chi ragionava peggio, su qualunque componimento poetico, era proprio il suo autore! Dopo i politici e i poeti mi rivolsi agli artisti e indovinate che cosa scoprii? Che costoro, coscienti di esercitare bene la propria professione, pensavano di essere sapienti anche in altre cose, magari più importanti e difficili. A quel punto capii che cosa aveva voluto dire l'oracolo: "Socrate è il più sapiente degli uomini perché è l'unico che sa di non sapere". Nel frattempo però mi ero attirato l'odio dei poeti, dei politici e degli artisti; e non a caso oggi mi vedo accusato in tribunale da Meleto che è un poeta, da Anito che è un politico e un artista e da Licone che è un oratore.»

«Ciò che hai detto, o Socrate, sono solo insinuazioni» ribatte Meleto. «Difenditi piuttosto dall'accusa di corrompere i giovani.»

«E come pensi, o Meleto, che io possa corrompere i giovani?»

«Dicendo loro che il Sole è una pietra e che la Luna è fatta di terra» risponde Meleto.

«Io credo che tu mi abbia scambiato con un altro: queste cose i giovani possono leggerle quando vogliono comprandosi per una dracma i libri di Anassagora di Clazomene a ogni angolo dell'*agorà*.»

«Tu non credi negli Dei!» urla Meleto, alzandosi in piedi e minacciandolo con l'indice della mano. «Tu credi solo nei Dèmoni!»

«E chi sarebbero questi Dèmoni?» chiede Socrate senza scomporsi. «Figli malvagi degli Dei? Tu dunque affermi che io non credo negli Dei, ma solo alla esistenza dei figli degli Dei. È come dire che credo nei figli dei cavalli ma non nei cavalli.»

Una risata del pubblico copre per un po' la voce di Socrate. Il filosofo attende che l'uditorio sia di nuovo attento, dopo di che si volge verso il secondo accusatore.

«E tu, Anito, che chiedi la mia morte, perché non hai portato qui, innanzi ai giudici tutti quei giovani che io avrei traviato? Per venirti incontro io stesso avrei potuto indicarteli. Oggi molti di loro sono diventati vecchi e potrebbero testimoniare contro di me, confermando che io li ho corrotti. Eccoli lì che ci guardano: quello è Critone col figlio suo Critobulo, e poi c'è Lisania di Sfetto, col figlio Eschine, e ancora Antifonte di Cefisia, Nicostrato, Paralio, Adimanto col fratello Platone, e vedo anche Aiantadoro con suo fratello Apollodoro. Forse, o Anito, potrei rabbonirti se promettessi di andare in esilio e di non farmi più vedere in giro. Ma credimi: ubbidirei solo per farti un piacere, perché in verità sono convinto che ciò nuocerebbe molto agli ateniesi. Io invece non cesserò mai di stimolarvi, di persuadervi, di rampognarvi uno per uno, di starvi addosso tutto il giorno, dovunque voi siate, come un tafàno che punge ai fianchi una cavalla di buona razza che vuol dormire, perché è questo che mi chiede il dio Apollo. O cittadini, la cavalla di cui sto parlando è Atene, e se voi mi condannerete a morte non troverete tanto facilmente un altro tafàno che potrà tener sveglia la vostra coscienza. Ora basta: le ragioni che potevo dirvi le ho dette. A questo punto dovrei fare entrare gli amici, i parenti e i figli più piccoli per invocare la vostra pietà, come è abitudine di molti. Anch'io ho famiglia: ho tre figli, eppure non ve li mostro perché è in gioco la mia e la vostra reputazione. Il giudice non deve graziare chi lo commuove, ma deve solo badare alle Leggi.»

Cade l'ultima goccia d'acqua dalla clessidra. Socrate ha terminato il suo discorso e arretra per andarsi a sedere su uno sgabello di legno posto alle sue spalle. Gli amici più cari, con un timido applauso, cercano di trascinare il consenso del pubblico, ma il tentativo cade nel disinteresse generale. Iniziano le votazioni.

«Non ho nessun dubbio: è colpevole!» sentenzia Eutimaco alzandosi in piedi. «E anche se non lo fosse, lo condannerei ugualmente. I suoi discorsi, il suo continuo mettere in forse le convinzioni altrui, non è utile alla *pólis*. Socrate diffonde insicurezza: è un disfattista. Prima muore e meglio è per tutti!»

«Al tuo posto io non ne sarei così sicuro:» ribatte Callione con foga «una città che si rispetti deve sempre avere qualcuno che la sorvegli e Socrate è l'unico in grado di farlo: è imparziale, non è un politico e soprattutto è povero. Anche se fosse colpevole, non ha certo agito per favorire se stesso.»

«E tu, Callione, pensi che la povertà sia un buon esempio da dare ai giovani? Vuoi che i nostri figli crescano come lui? Su e giù per l'*agorà* a chiedersi continuamente l'un l'altro: "Che cosa è il bene? Che cosa è il male? Che cosa è giusto? Che cosa è ingiusto?".»

Eutimaco, senza attendere la risposta, si alza di scatto e con in mano lo *psephos*, il sassolino nero per la condanna a morte, si avvia verso le urne. Mentre passa tra gli scanni, cerca d'influenzare anche gli altri giudici.

«Basta con Socrate! Togliamocelo di torno una volta per tutte! Lui sostiene di essere un tafàno che punzecchia Atene. Ebbene, lo prendo in parola: ma quale cavallo non cerca di liberarsi dei suoi tafàni, quale cavallo non lo schiaccerebbe se solo avesse le mani!»

Callione è ancora incerto: interroga i vicini per capire quale è l'opinione della maggioranza. Sembra che la giuria si sia divisa in due partiti pressoché uguali: quelli che odiano Socrate e quelli che sostengono che sia il migliore uomo della terra. Ognuno, mentre fa la fila davanti alle urne, difende la propria tesi. Nel frattempo quelli che hanno già votato si sistemano alla meglio sugli scanni per fare uno spuntino. Aprono il cesto delle vivande e ne estraggono sardine, olive e gallette di *maza*.[34] Antifonte, dopo aver chiesto il permesso al capo degli *Undici*,[35] va da Socrate e gli porge un vassoio con fichi e noci. I processi ad Atene duravano l'intera giornata e ai giudici era proibito allontanarsi dal tribunale. Al tramonto, in un modo o in un altro, dovevano emettere un verdetto: non esisteva la figura dell'imputato in attesa di giudizio.

[34] *Maza*: farina d'orzo.
[35] Gli *Undici*: collegio di magistrati che sovrintendevano alle prigioni.

Ma ecco che finalmente le urne vengono scrutinate.

«Cittadini di Atene!» proclama con solennità il cancelliere «questa è la sentenza emessa dagli Eliasti: voti bianchi 220, voti neri 280. Socrate, figlio di Sofronisco, è condannato a morte!»

Un «oh» di sgomento si leva dal popolo assiepato dietro le transenne. Critone si nasconde il viso tra le mani. Il cancelliere, dopo una breve pausa, riprende la parola.

«E ora, secondo la legge di Atene, chiediamo al condannato di proporre lui stesso una pena alternativa.»

Socrate si alza di nuovo, si guarda intorno e allarga le braccia in segno di sconforto.

«Una pena alternativa? E cosa mai ho fatto per meritarmi una pena? Per tutta la vita ho trascurato gli interessi personali, la famiglia e la casa. Non ho mai aspirato a comandi militari né a pubblici onori. Non mi sono immischiato in congiure o in altre sedizioni. Quali pene spettano a chi ha fatto queste cose? Non vorrei sbagliarmi, ma credo di aver diritto solo a un premio, quello di essere ospitato nel Pritaneo[36] a spese dello stato.»

Un coro di proteste copre le ultime parole. L'assurda richiesta del filosofo, per molti giudici, suona come una presa in giro o una vera e propria provocazione. Socrate stesso si rende conto di avere esagerato. Riprende a parlare e cerca di rabbonire l'uditorio:

«D'accordo, d'accordo, miei cari concittadini: mi accorgo di essere stato frainteso. Qualcuno ha scambiato il mio senso di giustizia per un atto d'arroganza. Ma ditemi francamente: che cosa avrei mai potuto proporre come pena? Il carcere? L'esilio? Una multa in denaro? E quale multa potrei pagare io che non ho mai insegnato per denaro? Al massimo sarei in grado di offrire una mina d'argento.»

[36] Il Pritaneo era l'edificio sacro dove venivano mantenuti, a spese dello stato, i cittadini che avevano conquistato l'alloro olimpico.

La protesta si fa più rabbiosa. Una mina d'argento è poco più di niente come alternativa a una sentenza di morte. Sembra quasi che Socrate stia facendo di tutto per essere condannato.

«E va bene:» sospira Socrate, indicando Critone e gli altri discepoli «qui ci sono i miei amici che insistono perché io mi multi per trenta mine. Loro stessi, a quanto pare, se ne fanno garanti.»

Inizia così la seconda votazione: condanna a morte o multa per trenta mine. Purtroppo la prima «pena» proposta dal filosofo (quella di essere ospitato nel Pritaneo a spese dello stato) ha talmente irritato i giudici, che molti di quelli che in un primo momento si erano schierati dalla sua parte, adesso gli si sono messi contro. Questa volta i sassolini nell'urna nera sono molto più numerosi: 360 contro 140.

«Cittadini ateniesi» conclude Socrate «temo che vi siate presi una grande responsabilità nei confronti della *pólis*. Ero vecchio: bastava aspettare e la morte sarebbe venuta da sé, in modo naturale. Così facendo non avete nemmeno la sicurezza di avermi punito. Sapete forse che cos'è il morire? Di sicuro è una di queste due cose: o è uno sprofondare nel nulla, o è trasmigrare altrove. Nella prima ipotesi, credetemi, la morte potrebbe essere un gran vantaggio: mai più dolori, mai più sofferenze; nel secondo caso invece avrei la fortuna d'incontrare tanti personaggi eccezionali. Quanto pagherebbe ciascuno di voi per parlare a tu per tu con Orfeo, con Museo, con Omero o con Esiodo? Oppure con Palamede e con Aiace Telamonio che morirono entrambi per essere stati trattati in modo ingiusto.[37] Ma

[37] Palamede fu accusato di furto e lapidato, per colpa di quel figlio di buonadonna di Ulisse che aveva nascosto nella sua tenda l'oro di Priamo. Aiace, figlio di Telamone, si uccise per essere stato privato ingiustamente delle armi di Achille.

ecco che è giunta l'ora di andare: io a morire e voi a vivere. Chi di noi abbia avuto il destino migliore è oscuro a tutti fuorché agli Dei.»

Perché Socrate fu condannato a morte? A 2400 anni di distanza c'è ancora chi se lo chiede. Gli uomini, per vivere, hanno bisogno di certezze, e quando queste non ci sono, c'è sempre qualcuno che se le inventa per il bene comune. Ideologi, profeti, astrologi, chi in buona fede, chi solo per interesse, sfornano di continuo verità con cui lenire le angosce della società. Se poi arriva un uomo a sostenere che non c'è nessuno che sa veramente qualcosa, ecco che quest'uomo diventa improvvisamente il nemico pubblico numero uno dei politici e dei sacerdoti. Quest'uomo deve morire!

Platone ha dedicato al processo e alla morte di Socrate ben quattro dialoghi:

– l'*Eutifrone*, dove vediamo il filosofo, ancora libero, recarsi in tribunale per conoscere le accuse che gli sono state mosse da Meleto;
– l'*Apologia*, con la descrizione del processo;
– il *Critone*, con la visita in carcere del suo amico più caro;
– il *Fedone*, con gli ultimi istanti di vita e il discorso sull'immortalità dell'anima.

Sono opere che gli editori continuamente ripubblicano, anche riunendole in un unico volume,[38] e noi ne consigliamo la lettura a tutti quelli che volessero conoscere più a fondo il carattere e le idee del grande filosofo.

[38] Platone, *Opere*, cit., ora in ediz. tascabile: vol. I, Laterza, Bari 1971²; *Processo e morte di Socrate*, Lattes, Torino 1981.

Socrate non venne giustiziato subito dopo il processo. Proprio in quei giorni infatti era partita l'ambasceria per Delo e la tradizione voleva che durante il viaggio della Nave Sacra fossero proibite le esecuzioni capitali.[39] Dopo una ventina di giorni lo troviamo ancora in carcere con il suo compaesano e coetaneo Critone.

È l'alba: Socrate sta dormendo ancora e Critone gli si siede accanto in silenzio. A un certo punto il filosofo si ridesta di colpo: vede l'amico e gli chiede:

«Che fai qui, o Critone, a quest'ora? Non è troppo presto per i visitatori?»

«Sì, è presto: è appena l'alba.»

«E come hai fatto a entrare?»

«Ho dato una mancia al messo degli *Undici*.»

«E sei qui da molto?»

«Da molto.»

«E perché non mi hai svegliato subito?»

«Perché dormivi così tranquillo che mi sembrava un peccato svegliarti» risponde Critone. «Io mi chiedo come tu possa trovare tanta serenità in questa sventura!»

«Sarebbe strano il contrario, o Critone:» risponde Socrate sorridendo «pensa come sarei ridicolo se alla mia età mi rammaricassi di dover morire.»

Critone, nel dialogo che porta il suo nome, si comporta un po' come il dottor Watson con Sherlock Holmes: il maestro parla e lui lo interrompe solo per dire «Dici giusto, o Socrate» oppure «È proprio così, o Socrate». In compenso il filosofo ha molto più tatto del suo collega inglese: non

[39] Quando Teseo partì per Creta con le sette coppie di vergini e di bambini da dare in pasto al Minotauro, gli ateniesi fecero un voto: se le vittime si fossero salvate, avrebbero inviato a Delo, ogni anno, una ambasceria in onore del dio Apollo e ad Atene, durante tutto il viaggio della nave, nessuno sarebbe stato ucciso per ordine dello stato.

umilia mai l'amico con un impietoso «Elementare, Critone!». Alla fine ci si rende conto che il dialogo altro non è che un monologo di Socrate.

«Perché sei venuto così presto, mio buon Critone?»

«Sono qui, o Socrate, per recarti una notizia dolorosa:» risponde Critone con tono disperato «alcuni amici mi hanno riferito che la Nave di Delo ha appena doppiato il capo Sunio. Oggi, o al massimo domani, dovrebbe arrivare ad Atene.»

«E che c'è di strano? Prima o poi doveva arrivare,» replica Socrate «vuol dire che così è piaciuto agli Dei.»

«Non parlare in questo modo e lasciati persuadere a mettere in salvo la vita. Ho già preso accordi con i carcerieri: non è neanche molto il denaro che mi chiedono per farti fuggire. E comunque si sono offerti a finanziare la tua fuga anche Simmia di Tebe, Cebete e moltissimi altri. Fa' che un domani nessuno possa dire: "Critone, per non spendere il suo denaro, non aiutò Socrate a fuggire".»

«Sono pronto a prendere la fuga: prima però vorrei che decidessimo insieme se sia giusto che io tenti di uscire dal carcere contro il volere degli ateniesi. Giacché se è giusto lo faremo, e se è ingiusto ci asterremo dal farlo.»

«Dici bene, o Socrate.»

«Non credi tu, o Critone, che nella vita per nessuna ragione si deve commettere ingiustizia?»

«Per nessuna ragione.»

«Neanche se prima ci è stata fatta ingiustizia?»

«Neanche in questo caso.»

«E supponiamo che proprio nel momento in cui io sto per svignarmela ci venissero incontro le Leggi e ci domandassero: "Dicci, o Socrate, che cosa hai in mente di fare? Non mediti forse di distruggere noi, che siamo le Leggi, e con noi tutta la città?". In tal caso, che cosa potremmo rispondere noi a queste e ad altre simili parole? Risponderemmo forse che prima della fuga ci fu inflitta un'ingiusta condanna?»

«Certo: questo risponderemmo.»

«E se le Leggi mi dicessero: "Sappi, o Socrate, che bisogna ubbidire a tutte le sentenze, giuste o ingiuste che siano, giacché l'intera esistenza dell'uomo è regolata dalle Leggi. Non fummo forse noi a darti la vita? E non è stato grazie a noi che tuo padre ha preso in moglie tua madre e ti ha generato? E non fummo sempre noi a insegnarti a rispettare la patria e a non indietreggiare davanti al nemico?". Se queste fossero le domande, che cosa potremmo rispondere: che dicono il vero o che dicono il falso?»

«Che dicono il vero.»

«E ciononostante tu vorresti che io, dopo essermi travestito buffonescamente con una palandrana, magari con abiti da donna, scappassi da Atene, per andare in Tessaglia, lì dove gli uomini sono soliti vivere nel disordine e nella dissolutezza, e tutto questo per prolungare di qualche annetto una vita che ormai volge alla fine. E quali ragionamenti potrei ancora fare sulla virtù e sulla giustizia dopo aver infranto le Leggi?»

«Nessuno, in verità.»

«Come vedi, mio buon amico, non mi è proprio possibile fuggire; se però tu sei convinto di potermi ancora persuadere, parla che ti ascolterò con la massima attenzione.»

«Oh, mio Socrate, io non ho nulla da dire!»

«E allora rassegnati, o Critone, che questo è il sentiero per il quale ci conducono gli Dei.»

Il giorno dopo è quello dell'esecuzione. Gli amici si danno appuntamento davanti alla porta del carcere e attendono con impazienza che il capo degli *Undici* li faccia entrare. Ci sono quasi tutti, c'è il fedele Apollodoro, l'onnipresente Critone con il figlio Critobulo, il giovane Fedone, Antistene il cinico, Ermogene il povero,[40] Epigene, Menesseno, Ctesippo ed Eschine, il figlio del salsicciaio. Qualcuno è venuto da lontano come i tebani Simmia e Cebete, o come Terpsione ed Euclide che sono di Megara. Tra i discepoli più noti mancano Aristippo, Cleombroto e soprattutto Platone che, a quanto pare, proprio quel giorno aveva la febbre.

Quando i discepoli entrano nella cella trovano il maestro in compagnia di Santippe e del figlio più piccolo. Alla vista dei nuovi venuti la donna si mette a urlare disperatamente.

«O Socrate, questa è l'ultima volta che gli amici parleranno a te e tu a loro!»

Al che il filosofo si rivolge a Critone e gli dice:

«Qualcuno per cortesia la riporti a casa.»

«Ma tu muori innocente!» protesta Santippe mentre la trascinano fuori dalla cella.

«E che volevi:» risponde Socrate «che morissi colpevole?»

Nel frattempo uno dei carcerieri ha provveduto a staccare la catena dalla caviglia del prigioniero.

«Che strana cosa sono il piacere e il dolore:» dice Socrate massaggiandosi la caviglia indolenzita «sembra che ognuno di loro segua sempre il suo contrario e che tutti e due non vogliano mai trovarsi insieme nella stessa persona. Mentre prima, sotto il peso della catena, nella mia gamba c'era solo il dolore, ecco che già sento, dietro di lui, sopraggiungere il piacere. Se Esopo avesse riflettuto su questo rapporto dolore-piacere, di sicuro ne avrebbe fatto una bellissima favola.»

Quindi la conversazione si sposta sul tema della morte e dell'aldilà. Socrate in proposito accenna a un qualcosa che potrebbe somigliare all'Inferno e al Paradiso.

[40] Ermogene era noto come «il povero» perché, oltre a essere povero, era anche il fratello di Callia, l'uomo più ricco di Atene.

«Io ritengo che ai morti sia riservato un futuro» dice testualmente il maestro «e che questo futuro sia migliore per i buoni che non per i cattivi.»

Inizia così la discussione sull'immortalità dell'anima. Il tebano Simmia, paragonando il corpo a uno strumento musicale e l'anima all'armonia che nasce da tale strumento, sostiene che una volta rotta la lira (ovvero il corpo) muore con essa anche l'armonia (e cioè l'anima). Cebete non è d'accordo e avanza l'ipotesi della reincarnazione.

«L'anima è come un uomo che nella vita abbia consumato molti mantelli. Tutti i mantelli, ovvero tutte le reincarnazioni, saranno meno longevi del loro proprietario, a eccezione dell'ultimo che vivrà più a lungo di lui.»

In altre parole, secondo Cebete, quando uno muore, potrebbe avere la disgrazia di essere arrivato all'ultimo turno, e di concludere in questo modo la sua vita. Socrate è di parere contrario e sostiene la tesi dell'immortalità dell'anima. Tutti s'infervorano a tal punto che Critone è costretto a intervenire per rimproverare il maestro.

«Il carceriere, o Socrate, ti raccomanda di parlare il meno possibile. Egli afferma che se ti accalori troppo il veleno non avrà molto effetto sul tuo corpo e lui sarà costretto a farti bere il farmaco due e forse anche tre volte.»

«E tu digli di prepararne due o tre porzioni, però adesso, per cortesia, ci lasci parlare.»

Dopodiché si rivolge ai discepoli e ricomincia a discutere dell'anima.

«Solo i malvagi possono augurarsi che dopo la morte ci sia il nulla, ed è logico che così la pensino, perché è nel loro interesse. Io invece sono sicuro che essi vagheranno angosciati nel Tartaro e che solo chi ha trascorso la vita in onestà e temperanza sarà ammesso a vedere la Vera Terra.»

«Cosa vuoi dire, o Socrate, con l'espressione "Vera Terra"?» chiede Simmia alquanto perplesso.

«Sono persuaso» risponde Socrate «che la Terra è sferica. Essa non ha bisogno di un appoggio per restare dov'è, perché trovandosi al centro dell'Universo, non saprebbe dove cadere. Inoltre sono convinto che è molto più vasta di quanto non sembri e che noi, conoscendone solo quella parte che va dal Fasi alle colonne d'Ercole,[41] siamo come formiche o ranocchi che vivono intorno a un piccolo stagno. Gli uomini sono convinti di abitare la sommità della Terra e invece si trovano in una sua cavità, allo stesso modo di chi, vivendo in fondo a un abisso marino, scambiasse la superficie del mare per la volta del cielo. Si dice che la Vera Terra abbia l'aspetto di una palla di cuoio a dodici pezzi[42] e che sia iridescente e intarsiata di diversi colori. In alcune parti di essa ha lo splendore dell'oro e in altre è più bianca della neve, in altre ancora è argentea o porporina. Le stesse sue cavità, viste dall'esterno, essendo piene di acqua o di aria, rifulgono in una iridescente varietà di colori. Così pure gli alberi, i frutti, i fiori, i sassi e le montagne della Vera Terra sono così levigati e trasparenti che al loro confronto diventano opache quelle piccole pietre che quaggiù hanno tanto valore. In quel luogo, uomini beati abitano le rive dell'aria così come noi quaggiù viviamo sulle rive del mare.»

«Chi dice queste cose?» chiede sensatamente Simmia.

Socrate ignora l'interruzione e prosegue:

«Per contro, nella profondità della Terra c'è quella grande voragine che Omero e molti altri poeti hanno chiamato Tartaro. Qui confluiscono tutti i fiumi e di qui tutti i fiumi defluiscono di nuovo. Di questi, quattro sono da ricordare:

[41] Dal Fasi alle colonne d'Ercole: dall'estremità orientale del Mar Nero allo stretto di Gibilterra.

[42] Dodecaedro costituito da dodici pentagoni, in pratica quasi una sfera. Così come la descrive Socrate, questa palla doveva essere simile ai nostri palloni di calcio.

il fiume Oceano che scorre intorno alla Terra, l'Acheronte che gira in senso contrario e termina in una palude chiamata Acherusiade, il Piriflegetonte che, essendo di fuoco, appena trova un varco erompe dalla Terra sotto forma di lava, e infine il quarto fiume, il Cocito che, girando a spirale, sprofonda fra le viscere della Terra e si getta anche lui nel Tartaro. Qui, nella palude Acherusiade, vengono portate le anime di coloro che si sono macchiati di gravi colpe. Alcune di esse, avendo agito in un momento di collera, dopo un periodo più o meno lungo potranno risalire in superficie; altre invece, per la gravità dei loro crimini sono condannate in eterno. Questa dunque è la sorte che tocca alle anime dei viventi: i tristi nel Tartaro e i puri sulla Vera Terra. Ecco perché è giovevole nella vita acquistare virtù e saggezza con la filosofia; giacché bello è il premio e grande la speranza!»

«Credi davvero nelle cose che hai detto, o Socrate?» torna alla carica Simmia.

«Crederci forse non si addice a un uomo assennato, ma in compenso procura un grande benessere interiore...»

Proprio in quel momento uno schiavo appare sulla soglia: ha tra le mani un recipiente di marmo con la cicuta da pestare.

«Ecco che il destino mi chiama» dice Socrate alzandosi in piedi.

«Hai qualche ordine da darci?» mormora Critone, cercando di non far trapelare la disperazione. «In che modo vuoi essere seppellito?»

«Come più vi piace, sempre che riusciate a pigliarmi e non vi sgusci tra le mani» risponde ridendo Socrate. «Ma insomma, mio buon Critone, come posso convincerti che Socrate sono solo io, quello che adesso sta conversando con te, e non quell'altro che tra poco vedrai cadavere su questo lettino?»

Il tempo stringe. Vengono fatti entrare per gli ultimi saluti Santippe, Mirto e i tre bambini. Socrate li abbraccia affettuosamente e poi li invita a uscire. Apollodoro non riesce più a trattenere le lacrime. Entra di nuovo il messo degli *Undici*.

«O Socrate,» dice il carceriere «io certo non dovrò lagnarmi di te, come è accaduto con altri che, prima di morire, hanno inveito contro Atene e mi hanno stramaledetto. Durante la tua reclusione ho avuto modo di conoscerti e posso ben dire che sei la persona più buona e più mite fra quante siano mai capitate in questo luogo.»

Appena pronunziate queste parole, il messo degli *Undici* scoppia in lacrime ed esce dalla cella. Socrate è un po' imbarazzato: non sa più che dire, poi, per dissolvere il clima di commozione venutosi a creare, si rivolge a Critone e lo invita a far entrare lo schiavo con la cicuta.

«Perché tutta questa fretta, mio caro amico: il sole non è ancora tramontato» protesta Critone. «Io so di condannati che hanno atteso l'ultimo raggio per bere il farmaco e di altri che si sono decisi all'estremo passo solo dopo aver mangiato a sazietà e aver fatto l'amore con una donna scelta per l'occasione.»

«È naturale che ci si comporti così, quando si ritiene vantaggioso ritardare il momento della morte» ribatte Socrate «ma è naturale che io faccia esattamente il contrario, giacché, manifestando un eccessivo attaccamento alla vita, diventerei patetico e smentirei in un solo attimo tutto quello che ho sempre predicato.»

Entra l'uomo con la tazza del veleno.

«Brav'uomo,» gli si rivolge Socrate «tu che di queste cose te ne intendi, che cosa si deve fare in simili circostanze?»

«Niente altro che bere e camminare su e giù per la stanza» risponde lo schiavo. «Poi, quando comincerai a sentirti vacillare sulle gambe, sdraiati sul lettino e vedrai che il farmaco farà tutto da sé.»

«Pensi che con una bevanda simile si possa brindare a qualche Dio?» chiede Socrate.

«Noi di queste cose non ci occupiamo: ci limitiamo a pestarne quel tanto che basta.»

Così dicendo lo schiavo porge il veleno a Socrate il quale, senza tremito alcuno, lo tracanna tutto d'un fiato. Un gesto improvviso, definitivo, che sconvolge tutti i presenti, anche quelli che fino allora erano riusciti a trattenere le lacrime. Critone è disperato, si alza ed esce dalla cella. Apollodoro, che già da prima aveva le guance rigate di pianto, si mette a singhiozzare disperatamente. Fedone piange con il viso nascosto tra le mani.

Il povero Socrate non sa che fare: passa dall'uno all'altro, cercando di dare un po' di conforto a ognuno: rincorre Critone e lo riporta nella cella, accarezza i capelli di Apollodoro, abbraccia Fedone e asciuga le lacrime a Eschine.

«Ma come? Che vi piglia?» protesta Socrate, tra un gesto consolatorio e l'altro. «Ho fatto uscire Santippe proprio per evitare simili scene incresciose: non mi sarei mai immaginato che vi sareste comportati peggio. Siate forti e sereni, o amici, come si addice ai filosofi e agli uomini giusti.»

A queste parole i discepoli si vergognano un po' di essersi lasciati andare e Socrate ne approfitta per passeggiare avanti e indietro nella cella, come gli era stato suggerito dallo schiavo. Dopo qualche minuto, sentendo le gambe sempre più pesanti, si sdraia sul lettino e attende con calma la fine. Lo schiavo gli preme con forza una gamba e gli chiede se avverte la pressione della mano. Socrate risponde di no: il veleno sta facendo il suo dovere. Ormai anche il ventre ha perduto ogni sensibilità.

«Ricordati, o Critone, che siamo debitori di un gallo ad Asclepio:» sussurra Socrate «restituisciglielo per mio conto, non te ne dimenticare.»

«Sarà fatto» lo rassicura Critone. «Non vuoi nient'altro? Hai ancora qualcosa da dirmi?»

Ma Socrate non risponde più.

Qualche giorno dopo gli ateniesi si pentono di aver condannato Socrate: chiudono per lutto i ginnasi, i teatri e le palestre, mandano in esilio Anito e Licone e condannano a morte Meleto.

La vita di Socrate fa tutt'uno col suo pensiero. Lui, in pratica, non ha fatto altro che cercare la verità in ogni persona con la quale è riuscito a mettersi in contatto: ha braccato gli uomini come un cane da caccia, li ha bloccati agli angoli delle strade, li ha tempestati di domande e li ha costretti a guardarsi dentro, nel profondo dell'animo. Con tutto il rispetto per la statura morale del filosofo, sono convinto che molti ad Atene devono averlo evitato come la peste. Non appena la sua figura tracagnotta appariva sotto la Porta Sacra doveva esserci un fuggi fuggi generale, al grido di: «*Oilloco, oilloco, fuitavenne*!».[43]

Platone nel *Lachete* racconta che «chiunque veniva avvicinato da Socrate e si metteva a parlare con lui, qualunque fosse l'argomento della conversazione, non poteva più andar via senza aver prima reso conto di sé»[44] e Diogene Laerzio aggiunge che molte volte «i suoi interlocutori, per potersene liberare, lo prendevano a pugni e gli strappavano i capelli».[45]

Con ogni probabilità da giovane avrà cominciato anche lui a studiare la natura e le stelle, così come erano soliti fare tutti quelli che si occupavano di filosofia, poi un bel giorno

[43] *Oilloco, oilloco, fuitavenne*! non è un'espressione greca, ma napoletana, e vuol dire: «Eccolo, eccolo, fuggite!». In realtà gli ateniesi avranno gridato: «*Idòu autón, idòu autón, féughete*!».

[44] Platone, *Lachete*, 18 e.

[45] Diogene Laerzio, *Vite dei filosofi*, II, V, 21.

si accorse che della fisica non gliene importava nulla e allora concentrò tutta la sua attenzione sul problema della conoscenza e sull'etica. A chi gli proponeva un bel viaggio a scopo d'istruzione, o magari anche una scampagnata, rispondeva sorridendo: «Ma cosa vuoi che mi possano insegnare gli alberi e la campagna, quando qui in città ho a disposizione tutti gli uomini che voglio e tutti così istruttivi?».[46]

Per sintetizzare al massimo il pensiero di Socrate, vi proponiamo qui di seguito tre argomenti socratici: la *maieutica*, l'*universale* e il *dèmone*.

La maieutica. Quando Socrate dice «so di non sapere», non nega l'esistenza della verità (come avevano fatto i sofisti) ma ne incita la ricerca. È come se dicesse: «*Guagliù*, la verità esiste, anche se io non la conosco; però, siccome non posso credere che uno che l'ha conosciuta non ne tenga conto, penso che sia indispensabile raggiungere la "conoscenza". Solo così, infatti, potremo sapere con sicurezza da che parte sta il Bene».

Cerchiamo adesso di descrivere la mente umana come deve essersela immaginata Socrate: al centro un enorme cumulo di erbaccia e sotto di esso, ben nascosta, la verità, ovvero la giusta valutazione dei comportamenti, il «senso delle cose». Che fare, si chiede Socrate, per giungere alla conoscenza? Innanzitutto liberarsi dell'erbaccia e poi tirar fuori la verità. Per la prima fase, che potremo chiamare «operazione piazza pulita» o *pars destruens* per gli amanti del latino, Socrate si serve dell'*ironia*. La parola viene dal greco e vuol dire «interrogare dissimulando» (da *eíromai*, interrogare, e *eironeúomai*, dissimulare). Nessuno più di

[46] Platone, *Fedro*, 230 b-e.

lui è maestro in questa arte. Manifestando la più assoluta ignoranza e sprovvedutezza, finge sempre di voler imparare dal suo interlocutore: gli chiede continue precisazioni e alla fine lo mette di fronte alle sue stesse contraddizioni. L'erbaccia infatti, di cui parlavamo prima, è l'insieme dei pregiudizi, dei falsi ideali e delle superstizioni che occupano la nostra mente. Una volta liberato il campo da queste scorie, bisogna tirar fuori la vera conoscenza ed è qui che interviene la *maieutica*, ovvero «l'arte del far partorire le menti». Socrate nel *Teeteto*, ricordandosi della madre, ce ne dà una descrizione:[47] «Il mio lavoro di ostetrico rassomiglia in tutto a quello delle levatrici, solo che loro operano sulle donne e io sugli uomini, loro sui corpi e io sulle anime». Socrate non si presenta come depositario di una «sua verità», al massimo aiuta gli altri a cercarla in se stessi, «giacché» egli dice «sono sterile di sapienza, ed è per questo che il dio (Apollo) mi costrinse a fare da ostetrico, pur vietandomi di generare».

È chiaro che, per esercitare la *maieutica*, Socrate ha bisogno del dialogo, ovvero d'improvvisare il suo discorso a seconda degli stimoli che gli offre l'interlocutore. Nessuno scritto, egli dice, potrebbe avere un'eguale efficacia, anche perché «non sapendo nulla, cosa mai avrei potuto scrivere?». Socrate, del resto, diffidava profondamente della scrittura, come risulta dalla favola che Platone gli fa raccontare nel *Fedro*.[48]

«C'era una volta un dio egiziano che si chiamava Theuth. Egli fu l'inventore dei numeri, della geometria, della astronomia, del gioco dei dadi e della scrittura. Un giorno Theuth andò da Thamus, il re dell'Alto Egitto, e gli presentò tutte le sue invenzioni. Quando giunsero all'alfabeto,

[47] Platone, *Teeteto*, 149 a-150 c.
[48] Platone, *Fedro*, 274-275.

Theuth disse: “Questa scienza sarà una medicina miracolosa per la sapienza e per la memoria dei tuoi sudditi”. E il re rispose: “O ingegnoso Theuth, il tuo alfabeto produrrà proprio il contrario di ciò che vai dicendo. Gli egiziani, infatti, fidandosi della sapienza scritta, non eserciteranno più la memoria e richiameranno le cose alla mente, non più dall'interno di se stessi, come dovrebbero, ma dal di fuori, attraverso segni estranei”.»

Fedro, quando si accorge che Socrate si è inventato la favola di sana pianta, protesta vivacemente e il filosofo gli risponde: «A voi giovani l'unica cosa che importa sapere è se ho raccontato un aneddoto vero o falso e sottovalutate il fatto che contenga la verità che cerchiamo». Dopo di che aggiunge: «La scrittura è simile alla pittura: come le figure dipinte non parlano quando le interroghi, così le parole scritte non sanno rispondere che sempre nello stesso modo, quello scelto dall'autore quando ha scritto il libro».

Ho sempre avuto il sospetto che Socrate, come Gesù del resto, non sapesse né leggere né scrivere. Il fatto che Diogene Laerzio dica che abbia scritto una favola esopica non significa proprio niente: potrebbe averla dettata a uno scriba. A chi obietta che un uomo intelligente come Socrate non poteva non aver imparato a scrivere, rispondo che anche oggi ci sono milioni di persone intelligentissime che non hanno ancora imparato a usare il computer, malgrado che non ci voglia più di una settimana per impratichirsi nella videoscrittura. La verità è che a quei tempi erano pochissimi a saper leggere e scrivere: Plutarco[49] racconta di un ateniese che, essendo analfabeta, per incidere il nome di Aristide sugli *óstraka*, si rivolse proprio a lui. Alla domanda di Aristide: se conoscesse l'uomo che voleva mandare in esilio, il cittadino rispose che non lo conosceva, ma che

[49] Plutarco, *Vita di Aristide*, 7.

non ne poteva più di sentir dire da tutti che era un uomo giusto; al che Aristide scrisse il proprio nome nelle liste e non disse più nulla.

L'universale. Nei dialoghi platonici Socrate è solito chiedere ai suoi interlocutori la definizione di un valore morale, e regolarmente costoro rispondono citando un esempio particolare. Al che Socrate si mostra insoddisfatto e insiste per ottenere una definizione «più universale».[50]

SOCRATE: Sapresti dirmi, o Menone, che cosa è la Virtù?
MENONE: E che ci vuole a dirlo! La Virtù dell'uomo sta nell'essere capace di svolgere bene un'attività politica, nell'aiutare gli amici e nel danneggiare i nemici. La Virtù della donna consiste invece nel sapere amministrare la casa e nell'essere fedele al marito. Poi c'è la Virtù del fanciullo, quella del vecchio, quella...
SOCRATE: Ma tu guarda che fortuna questa mattina! Cercavo una Virtù sola e ne ho trovato uno sciame... A proposito di sciame, o Menone, secondo te esistono molti tipi di api?
MENONE: Molti certamente e ogni tipo differisce dall'altro per grandezza, bellezza e colore.
SOCRATE: E tra tutte queste diversità, c'è qualcosa che ti fa dire: «Oh, ecco è un'ape!»?
MENONE: Sì, il fatto che, in quanto ape, non è molto diversa dalle altre api.[51]
SOCRATE: Quindi sei capace di riconoscere un'ape a prescindere dal tipo a cui appartiene. E se ti chiedessi che cosa è la Bontà?

[50] Platone, *Menone*, 71-72.
[51] Fin qui il *Menone*. Il secondo esempio, quello della Bontà, è stato aggiunto dall'autore per meglio illustrare il concetto di universale.

MENONE: Ti risponderei che vuol dire aiutare il prossimo e dare del denaro a un amico che non ne possiede.
SOCRATE: Mentre se aiuti uno che non ti è amico, non è un atto di Bontà.
MENONE: Nossignore, anche se aiuto uno che non è amico, è una buona azione.
SOCRATE: E se nel dare il denaro a un amico, tu sapessi che lui se ne servirà per commettere una cattiva azione, sarebbe ancora una buona azione la tua?
MENONE: No, in questo caso no di certo.
SOCRATE: Allora ricapitoliamo: dare del denaro a un amico potrebbe essere e non essere una buona azione, mentre potrebbe essere una buona azione dare del denaro a uno che non è amico.

A questo punto Menone va in tilt e Socrate, il bulldozer, continua imperterrito a dimostrargli che tutte le buone azioni possibili e immaginabili hanno un qualcosa in comune e che solo questo qualcosa in comune, questa «essenza», è la Bontà. Si arriva così al concetto di *universale* che prelude al *mondo delle idee* di Platone. Resta il dubbio che tutto questo Socrate non l'abbia mai detto, e che sia Platone a servirsi di lui per introdurre la più nota delle sue teorie.

Il dèmone. «Un giorno accadde un fatto molto strano: eravamo un gruppo di amici e stavamo ritornando ad Atene dopo essere stati a pranzo a casa di Andocide. Con noi c'erano Socrate, il flautista Carillo, l'indovino Eutifrone, Cebete e alcuni giovani ateniesi. L'umore della brigata era allegro, come spesso accade quando si è appena smesso di bere: i più giovani cantavano in coro e Socrate prendeva in giro Eutifrone per le sue arti divinatorie. Quando ecco che all'improvviso vediamo il nostro maestro fermarsi, restare per un attimo assorto e poi cambiare strada: invece d'imboccare via degli Ermoglifi, come avrebbe dovuto fare per raggiungere l'*agorà*, girò per via dei Cassai. A chi gli chiese il perché di questa decisione, lui rispose che così gli era stato consigliato dal dèmone. I giovani risero a questa battuta e continuarono a scendere per via degli Ermoglifi, insieme al flautista Carillo, mentre noi anziani, anche per non lasciarlo solo, seguimmo Socrate per via dei Cassai. Quelli che presero la strada più breve, dopo un centinaio di metri, proprio all'altezza del tribunale, s'imbatterono in un branco di scrofe che proveniva in senso contrario. Il branco era così numeroso e così compatto, che molti di loro furono costretti a tornare sui loro passi. Il flautista Carillo, che invece volle attraversarlo, giunse all'*agorà* con le gambe e gli abiti tutti lordati di fango.»

Questa storia si trova in uno scritto di Plutarco intitolato per l'appunto: *Il dèmone di Socrate*.[52] Il personaggio che racconta è l'indovino Teocrito.

«Qual era secondo voi la vera natura del dèmone di Socrate?» chiede Teocrito alla fine del racconto.

«Anch'io ho sentito parlare di un dèmone, a proposito di Socrate» risponde uno dei presenti. «Un megarese mi ha riferito che si trattava di un semplice starnuto: a seconda che Socrate sentiva uno starnuto provenire da destra o da sinistra, da dietro o davanti, prendeva l'una o l'altra decisione. Per quanto riguarda invece i propri starnuti, tutto dipendeva da quando gli veniva la voglia: se in movimento o da fermo: nel primo caso si bloccava e nel secondo proseguiva in ciò che stava per fare. Questo è quanto mi hanno raccontato anche se, in verità, non credo affatto che un uomo come Socrate possa essersi fatto guidare da simili sciocchezze.»

A parte le dicerie di Plutarco, lo stesso Socrate, durante il processo, dichiara di possedere un Dèmone che lo consigliava nei momenti difficili.

[52] Plutarco, *Il dèmone di Socrate*, 580 d-f (trad. it. Adelphi, Milano 1982).

«... è come una voce che ho dentro di me fin da fanciullo; la quale, ogni volta che si fa sentire, è sempre per dissuadermi dal fare qualcosa, mai per farmi agire. In particolare, essa mi sconsiglia di occuparmi di politica.»[53]

Le interpretazioni del Dèmone sono innumerevoli: si va dallo spirito guida, all'angelo custode, alla coscienza critica, al sesto senso, all'intuizione e via dicendo. La mia opinione è che si tratti di un jolly, che Socrate si era voluto riservare per non essere costretto, ogni volta, a motivare le sue decisioni.

[53] Platone, *Apologia*, 31 d.

II
I socratici minori

I sette discepoli di Socrate più rappresentativi furono: Antistene, Aristippo, Euclide, Fedone, Platone, Eschine e Senofonte. Di questi, i primi quattro si misero in proprio e aprirono una scuola di filosofia: Antistene fondò la scuola cinica, Aristippo quella cirenaica, Euclide quella megarica e Fedone quella di Elide. Nei libri di testo vengono ricordati come «i socratici minori», probabilmente per non offendere Platone (fondatore dell'Accademia) al quale spetta di diritto il titolo di «socratico maggiore».

L'incontro di Socrate con ciascuno di loro fa ormai parte della leggenda. Di quello con Senofonte in un vicolo di Atene abbiamo già detto. Quanto ad Antistene, il poveretto abitava al Pireo e ogni giorno era costretto a percorrere sedici chilometri tra andata e ritorno per poterlo ascoltare.[1] Per Euclide il problema era ancora più serio: essendo megarese, non gli era concesso di entrare nel territorio di Atene a causa di una vecchia legge che prevedeva perfino la condanna a morte per i trasgressori. Lui però non se ne dava pensiero e ogni notte passava il confine travestito da donna.[2] Con Platone le cose andarono così: un giorno Socrate, durante la siesta, si sognò di cullare sulle ginocchia un piccolo cigno che, dopo aver messo le ali, se ne era vola-

[1] Diogene Laerzio, *Vite dei filosofi*, VI, I, 2.
[2] Aulo Gellio, *Notti Attiche*, VII, 10, 1-4.

to via dalla finestra; subito dopo si presentò Platone alla porta e gli disse: «Quel cigno sono io».[3] Eschine, all'invito di Socrate di far parte dei discepoli, rispose: «Sono povero: posso darti solo me stesso». E lui replicò: «E ti pare poco?».[4] Fedone di Elide, fatto schiavo dagli ateniesi quand'era ancora un ragazzo, fu costretto a prostituirsi in una casa di tolleranza: Socrate e Critone, colpiti dalla sua saggezza, lo riscattarono e gli restituirono la libertà.[5]

Malgrado l'insegnamento morale del grande filosofo, i sette discepoli si odiarono cordialmente l'un l'altro, e ognuno si presentò al suo pubblico come l'unico e vero interprete del pensiero socratico.

I cinici

Nella storia del costume, di tanto in tanto, spunta fuori il look dello straccione e ogni volta notiamo che alla trasandatezza dell'abito si accoppia una precisa scelta di vita. Tanto per fare dei nomi, cito i cinici greci, i *bohémiens* di tutte le epoche, gli esistenzialisti francesi, la *beat generation*, gli *hippies* e, buoni ultimi, gli odierni *punkies*. A parte le mode culturali, un esempio classico ci è sempre stato offerto dal barbone istruito, dal *clochard*, da colui che preferisce dormire all'aperto, magari sotto un ponte della Senna, piuttosto che scendere a compromessi con il mondo del lavoro. Ebbene, pur non volendo fare di tutte le erbe un fascio (e confondere i cinici con i *punkies*) non si può fare a meno di notare che in tutti questi movimenti c'è sempre un insopprimibile bisogno di Libertà. Ed è appunto questa la chiave di lettura per avvicinarsi al pensiero dei cinici.

[3] Diogene Laerzio, *Vite dei filosofi*, III, 5.
[4] *Ibid.*, II, V, 34.
[5] *Ibid.*, II, V, 105.

La Libertà per i cinici, intesa come Bene Supremo dell'Anima, è raggiungibile solo attraverso l'autosufficienza. Il cinico verace non sarà mai schiavo dei propri bisogni fisici ed emotivi, non avrà mai paura della fame, del freddo e della solitudine, e non avrà mai desideri di sesso, di denaro, di potere o di gloria. Se a voi sembra un pazzo, è solo perché ha scelto un modello di vita totalmente opposto a quello adottato dalla maggioranza. Una volta fatta la scoperta che i massimi valori dell'esistenza sono quelli dell'anima (della *psyché*), il cinico esercita una critica distruttiva nei confronti dei valori tradizionali. Egli è un estremista del pensiero socratico: riduce l'*essere* a pura convivenza con se stesso e rifiuta l'*apparire* come un insopportabile sovrappiù.

Antistene, Diogene, Cratete, Metrocle e Ipparchia furono i più famosi esponenti di questa scuola.

Antistene, figlio di Antistene, soprannominato «Vero Cane» (*Aplokúon*), nacque ad Atene nel 446 avanti Cristo. Avendo avuto come papà un ateniese e come mamma una schiava, non poteva essere considerato un cittadino a tutti gli effetti: sembra però che la cosa non lo disturbasse affatto e che, anzi, ne provasse addirittura piacere. Si interessò di filosofia frequentando prima i sofisti (Gorgia), poi Socrate e infine un gruppo di amici che la pensavano esattamente come lui e con i quali fondò la scuola «cinica». Pare che il nome della scuola derivi dal luogo dove avevano l'abitudine di conversare: il Cinosarge (*Kunósarghes* = cane agile), un Ginnasio per studenti stranieri situato appena fuori le mura di Atene, sulle rive dell'Ilisso. Altri invece raccontano che fu chiamato cinico per aver vissuto tutta la vita come un cane randagio (*kúon*).[6] Secondo Diocle di

[6] Diogene Laerzio, *Vite dei filosofi*, VI, I, 19.

Magnesia fu il primo a «raddoppiarsi il mantello», ovvero a renderlo sufficientemente grande per poterci dormire dentro, in pratica, il primo saccopelista della storia.[7]

Ecco come Senofonte ce lo presenta nel *Simposio*:[8]

«A mio avviso,» dice Antistene «la ricchezza non è un bene materiale che si può conservare in casa come se fosse un oggetto, ma una disposizione dell'Anima, altrimenti non si spiegherebbe perché alcuni, pur possedendo molte sostanze, continuino a vivere nel rischio e nella fatica al solo scopo di accumulare altri soldi. Né si potrebbe capire il comportamento di certi tiranni che sono così affamati di potere e di tesori da commettere delitti ogni volta più orrendi. Costoro somigliano a persone che pur mangiando in continuazione non si saziano mai. Io invece, anche se povero in apparenza, ho tanti di quei possedimenti che faccio fatica io stesso a trovarli: dormo, mangio e bevo dove meglio mi aggrada e ho l'impressione che tutto il mondo mi appartenga. Per far diventare più desiderabili i cibi, sfrutto il mio stesso appetito: mi astengo dal mangiare per un po' di tempo e dopo un solo giorno di digiuno qualsiasi cibo che porto alla bocca mi diventa di grandissimo pregio. Quando il mio corpo ha bisogno d'amore, mi accoppio con una donna brutta, così che lei, proprio perché nessuno la desidera, mi possa accogliere con grandissima gioia. Insomma l'importante, amici miei, è non aver bisogno di nulla.»

Da quanto lui stesso dice, si capisce che, sotto sotto, una certa vulnerabilità in fatto di donne doveva averla. Una volta infatti si lasciò scappare questa frase: «Ah, se potessi avere fra le mani Afrodite! La fulminerei!».[9] Altri suoi

[7] *Ibid.*, VI, I, 13.
[8] Brano liberamente tratto dal *Simposio* di Senofonte, IV, 34 sgg.
[9] Clemente Alessandrino, *Stromata*, II, 406, 6 (cit. in G. Reale, *Storia della filosofia antica*, vol. I: *Dalle origini a Socrate*, Vita e pensiero, Milano 1983[4], p. 397).

motti celebri furono: «Preferirei impazzire piuttosto che provare piacere!»[10] e «Nessun uomo amante del denaro può essere buono!».[11]

Ammirava Socrate per la sua «impassibilità», anche se il maestro spesso e volentieri lo prendeva in giro. Un giorno per esempio, vedendolo tutto sporco e con il mantello strappato, gli disse: «Attraverso questi fori, o Antistene, vedo tutta la tua ambizione».[12]

Con l'avanzare dell'età, divenne sempre più sensibile al dolore fisico, più di quanto non fosse lecito a uno come lui. A ottantuno anni, tormentato da una grave malattia, si lamentava di continuo. Un giorno venne a fargli visita Diogene, il suo discepolo prediletto. Questo è, più o meno, quello che si dissero:[13]

«Hai bisogno di un amico?» chiese Diogene entrando in casa.

«Oh, Diogene, che tu sia il benvenuto!» esclamò Antistene con aria sofferente. «Chi potrà mai liberarmi dalle pene?»

«Questa» rispose tranquillamente Diogene indicandogli una spada.

«Uè» precisò Antistene, alzandosi di scatto. «Ho detto "dalle pene", non "dalla vita"!»

Diogene di Sinope nacque nel 404 avanti Cristo.[14] Suo padre Icesio aveva un'agenzia di cambio in pieno centro del paese, sennonché un bel giorno, a forza di maneggiare

[10] Diogene Laerzio, *Vite dei filosofi*, VI, I, 3.
[11] Stobeo, *Antologia*, III, 10, 41.
[12] Diogene Laerzio, *op. cit.*, VI, I, 8.
[13] *Ibid.*, VI, I, 18.
[14] Tutti gli aneddoti relativi a Diogene di Sinope, a eccezione di quelli diversamente attribuiti, sono stati presi dalle *Vite dei filosofi* di Diogene Laerzio, VI, II.

monete, pensò bene di fabbricarsene un bel po', per uso personale. Il filosofo Eubulide[15] afferma che a falsificare il denaro sia stato lo stesso Diogene, certo è che padre e figlio furono condannati entrambi, il primo all'ergastolo e il secondo all'esilio. Durante il processo Diogene si difese scaricando la colpa su Apollo. Pare infatti che l'Oracolo di Delfi gli avesse detto: «Torna a casa e dài nuove istituzioni al tuo paese» e che lui, nell'incertezza, avesse cominciato col proporre nuove monete. La pena inflitta, comunque, non deve averlo molto mortificato, se è vero che commentò la sentenza dicendo: «Se i Sinopi mi hanno condannato all'esilio, io li condanno a restare in patria!».

Giunto ad Atene incontrò Antistene e in meno di mezz'ora aderì alla scuola cinica. In un primo momento il vecchio filosofo fu molto orgoglioso della forza delle sue parole, poi, quando si rese conto che il nuovo allievo era deciso a seguirlo anche in capo al mondo, lo minacciò col bastone perché se ne andasse via; Diogene però, per nulla intimorito, sporse ancora più avanti il capo e disse: «Colpiscimi pure, o Antistene, ma sappi che non troverai mai un legno così duro che possa farmi allontanare!».

Diogene di Sinope è una vera miniera di aneddoti. Di lui si sa che viveva in una botte e che andava in giro con una lanterna accesa, anche in pieno giorno, affermando ad alta voce: «Io cerco l'uomo». Arcinoto il suo incontro con Alessandro Magno. Il re percorreva a cavallo una strada di Corinto, quando lo vide seduto sulle scale del Craneo[16] a godersi il sole.

«Io sono Alessandro Magno, e tu chi sei?»
«Io sono Diogene il Cane.»
«Chiedimi quello che vuoi.»

[15] Eubulide di Mileto, discepolo di Euclide, filosofo megarico.
[16] Ginnasio di Corinto.

«Spostati che mi togli il sole.»

I suoi bisogni primari erano ridotti al minimo indispensabile: un mantello come abito e come letto, sia d'estate che d'inverno, un catino per mangiare e una ciotola per bere. Un giorno però, avendo visto un ragazzo mettere le lenticchie direttamente sul pane, buttò via il catino, e quando vide lo stesso ragazzo bere nel cavo della mano, buttò via anche la ciotola. In materia di sesso praticava la masturbazione, considerandola più sbrigativa. A chi lo rimproverava di farlo sulla pubblica piazza, rispondeva: «Ah se potessi placare anche la fame con una stropicciatina allo stomaco!».

Volendo abituarsi alle variazioni di temperatura, d'estate si sdraiava sulla sabbia rovente e d'inverno cercava la neve. Potrà sembrare strano ma noi oggi facciamo altrettanto. Come tutti i cinici aveva nei confronti del piacere una sana diffidenza. Una sera, incontrando un amico che andava a un banchetto, gli gridò dietro: «Tornerai peggiore». La sua stima verso il prossimo non era molto alta: una volta fu visto mentre interrogava una statua. Alla domanda del perché lo facesse, rispose: «Mi alleno a chiedere invano».

I suoi rapporti con Platone non furono mai eccellenti. Giudicava la conversazione platonica «una pura perdita di tempo» e Platone lo ripagava di egual moneta classificandolo «un Socrate impazzito».[17] In uno scontro filosofico tra i due, venne messa in discussione la teoria delle Idee.

«Vedo in questa stanza un tavolo e una coppa,» disse Diogene, guardandosi intorno «ma non mi sembra di vedere né la "tavolità", né la "coppità".»

«Ed è giusto che così sia,» rispose Platone «giacché la tua mente è idonea a scorgere solo il tavolo e la coppa, e non le idee.»

[17] Eliano, *Varia historia*, XIV, 33.

Diogene non sopportava il fatto che Platone, un filosofo, potesse vivere in una casa comoda e piena di belle cose. Un giorno di gran pioggia, entrò come una furia nella sua stanza da letto e con i piedi infangati gli calpestò le coperte ricamate e i tappeti, poi uscì di nuovo in mezzo alla strada, si risporcò ben bene i piedi, e ritornò dentro a saltare sulle coperte e sui tappeti.[18] Platone lo osservò senza intervenire.

«Calpesto l'orgoglio di Platone!» urlò Diogene.

«Con altrettanto orgoglio» rispose Platone.

A Diogene comunque non mancava il senso dell'humour. Un giorno, assistendo a un'esercitazione di un arciere particolarmente incapace, si andò a sedere proprio accanto al bersaglio: «Questo» disse «è l'unico posto in cui mi sento al sicuro». Un'altra volta, trovandosi in una bellissima villa, ricca di tappeti e di soprammobili, sputò in faccia al proprietario; subito dopo gli pulì il viso col mantello e gli chiese scusa dicendo di non aver trovato in tutta la casa un punto così brutto da poterci sputare sopra.

Durante il corso della sua lunga vita ne passò di tutti i colori: un giorno, quand'era già vecchio, mentre navigava al largo di Egina, venne catturato dal pirata Scirpalo, portato a Creta e messo in vendita al mercato degli schiavi. Quando l'araldo gli chiese che cosa sapesse fare, lui rispose: «Comandare gli uomini». E quando vide che un tale Seniade, un signore tutto ingioiellato, lo guardava con interesse, aggiunse: «Vendimi a questo poveretto, giacché, da come è agghindato, mi sembra che abbia urgente bisogno di un padrone». Seniade lo acquistò e Diogene gli restò in casa, fino alla fine dei suoi giorni, come istruttore dei figli. Si suicidò a novant'anni, trattenendo il respiro.

Si racconta che avesse dato disposizioni testamentarie affinché il suo corpo non fosse sepolto, ma venisse buttato

[18] Brunetto Latini, *op. cit.*, cap. VIII, 13.

in un fosso e dato in pasto alle bestie. Accadde invece che i suoi amici vennero alle mani per contendersi l'onore di seppellirlo e che, alla fine, decisero di erigergli, a spese dello stato, un monumento funebre costituito da una colonna di marmo e da un cane.

Cratete,[19] Ipparchia e Metrocle, rispettivamente marito, moglie e cognato, erano un'intera famiglia di cinici. L'epoca è molto più tarda rispetto a quella di Antistene, tanto che riesce difficile credere che Cratete, il più anziano del gruppo, possa essere stato un discepolo di Diogene. L'*acmé* di Cratete infatti, ovvero il periodo di massimo rigoglio, cade intorno al 323 a.C. quando Diogene il Cane aveva già compiuto ottant'anni.

Pur essendo figlio di Asconda, uno fra i più ricchi di Tebe, Cratete visse in povertà per quasi tutta la vita: pare che, dopo l'incontro avuto con Diogene, si sia spogliato di ogni suo avere e abbia regalato ai tebani duecento talenti al grido di: «Cratete libera Cratete».

Giunto ad Atene, fu soprannominato «apritore di porte» (*thurepanoiktes*)[20] per la cattiva abitudine d'introdursi in casa della gente, senza bussare, al solo scopo di offrire massime di vita. Fisicamente non doveva essere bello e forse era anche un po' gobbo. Quando faceva gli esercizi in palestra tutti lo prendevano in giro. Una volta litigò di brutto con un campione olimpico, un certo Nicodromo, e ne uscì con un occhio nero. Il giorno dopo si aggirava per le strade di Atene con una scritta sulla fronte, «Questa è opera di Nicodromo», e una freccia che indicava l'occhio menomato. Ogni notte si recava nei quadrivi e ingiuriava le puttane

19 Nella storia della civiltà greca, tra poeti, filosofi e letterati, si contano ben undici personaggi chiamati Cratete.
20 *Su(i)da*, ed. Westermann, p. 429 (cit. in Burckhardt, *op. cit.*, pag. 104).

in attesa dei clienti: sembra che le risposte delle «signore» gli servissero come allenamento per le dispute che aveva nell'*agorà* con gli altri filosofi.[21]

Come tutti i cinici visse molto a lungo: evidentemente il mangiare poco e il vivere all'aperto, oltre che all'anima, doveva far bene anche alla salute.

Metrocle nacque a Maronea, in Tracia.[22] Da ragazzo era molto timido e i genitori pensarono bene di affidarlo a un maestro che ne potesse forgiare il carattere. La scelta cadde sul cinico Cratete che nel frattempo si era fatta la fama di duro. Come prima cosa Cratete gli consigliò di fortificarsi nel corpo e se lo portò in palestra per farlo irrobustire. Sennonché, durante un esercizio di sollevamento pesi, a Metrocle scappò un peto e la cosa gli sembrò così umiliante da decidersi a morire d'inedia. Il povero Cratete fece di tutto per dissuaderlo, poi a un certo punto, quando ormai aveva perso ogni speranza, gli chiese:

«Preferisci la morte alla vita?»

«Sì.»

«Debbo dedurre quindi che sai benissimo che cos'è la morte e che cosa è la vita?»

«No, ma voglio morire lo stesso.»

«E non sei curioso di sapere che cosa potresti diventare se decidessi di vivere? Che cosa ti perdi a rinunziare alla vita?»

«Che cosa mi perdo?» chiese il ragazzo.

«Seguimi e lo saprai.»

21 Tutti gli aneddoti su Cratete sono presi da Diogene Laerzio, *Vite dei filosofi*, VI, V.

22 *Ibid.*, VI, VI.

Il giorno dopo, di primo mattino, Cratete si mangiò due chili di lupini, dopo di che accompagnò Metrocle dagli arconti.

«Ecco, questi sono gli arconti della città: tu un giorno potresti essere uno di loro.»

Così dicendo s'inchinò agli arconti e si lasciò sfuggire un peto ancora più fragoroso di quello fatto dall'allievo in palestra. Poi lo accompagnò dagli strateghi, dai pritani e dagli efori e ogni volta emise un peto incredibile. Insomma, tanti ne fece che il ragazzo si abituò al fatto e rinunziò all'idea del suicidio. Metrocle, col tempo, divenne un grande filosofo e morì a tardissima età... strangolandosi con le proprie mani.

Ipparchia,[23] la sorella di Metrocle, l'unica filosofa della nostra storia, doveva essere una gran bella ragazza, altrimenti non si spiega lo stupore di Diogene Laerzio quando riferisce della sua unione con il vecchio Cratete. Pare che tutti i giovanotti più belli e più ricchi di Maronea la volessero in moglie e che lei, pur di non perdersi il maestro, abbia minacciato il suicidio. I genitori di lei, poverini, si rivolsero allora allo stesso filosofo e lo supplicarono perché facesse qualcosa per dissuaderla. Cratete, che in fin dei conti non doveva poi essere malvagio, cosciente della propria bruttezza, le si presentò davanti completamente nudo e le disse: «Ecco, Ipparchia, questo è il tuo sposo con tutte le sue ricchezze» e lei, da vera cinica quale era, se lo sposò lo stesso. Si accoppiarono in pubblico ed ebbero un figlio a cui misero nome Pasicle.[24]

[23] *Ibid.*, VI, VII, 96.
[24] Eratostene di Cirene, fr. 21 Jacoby (cfr. Diogene Laerzio, VI, V, 88).

Il cinismo, più che una scuola filosofica, fu uno stile di vita. I cinici, una volta affrancati dai propri bisogni, si disinteressavano della politica, della fisica e di qualsiasi speculazione filosofica che non fosse l'etica. Si autodefinivano «cittadini del mondo, senza casa, senza città e senza patria». Di cinici ce ne sono sempre stati, in ogni luogo e in ogni epoca. Ne ricordiamo qui uno per tutti: tale Demonace, nato a Cipro nel 90 d.C. Demonace era un tipo che non dava fastidio a nessuno: semplice, sempre di buonumore, pacificatore, amico di tutti. Il popolo gli dava da mangiare senza che lui avesse bisogno di chiedere. Quando compariva in un'assemblea, gli arconti si alzavano in piedi e tutti osservavano il più assoluto silenzio. Divenuto molto anziano, pose fine alla sua vita, astenendosi dal mangiare. Gli ateniesi gli tributarono onori funebri a spese dello stato e coronarono di fiori la sua tomba. Evidentemente erano coscienti dei propri vizi e, confrontandosi con lui, si sentivano in qualche modo colpevoli.

I cirenaici

Dai cinici ai cirenaici il salto è enorme: pur provenendo dallo stesso ceppo filosofico, Antistene e Aristippo sono due pensatori agli antipodi. Se il primo poteva essere paragonato a un cane, il secondo aveva tutto il carattere e l'atteggiamento di un gatto.[25] Per rendersene conto, basta riflettere su questo aneddoto *double face* regalatoci, come al solito, da Diogene Laerzio:[26]

[25] Il paragone cane-gatto, relativamente ai cinici e ai cirenaici, è stato già fatto dallo Joël, *Geschichte der antiken Philosophie*, I, 1921, pag. 942 (cit. in G. Giannantoni, *I cirenaici*, Sansoni, Firenze 1958, pag. 47).
[26] Diogene Laerzio, *Vite dei filosofi*, II, VIII, 68.

Un giorno Diogene di Sinope stava lavando delle cime di rapa a una fontana, quando vede avvicinarsi il cirenaico. «Se tu sapessi mangiare la verdura,» gli dice Diogene «non saresti costretto a corteggiare i tiranni.» «E se tu sapessi trattare i tiranni,» risponde Aristippo «non saresti costretto a mangiare la verdura.» Altri raccontano lo stesso episodio invertendo l'ordine delle battute. Stavolta il primo a parlare è Aristippo: «Se tu imparassi a parlare con i ricchi, non dovresti più mangiare verdura». Ed è Diogene a replicare: «E se tu imparassi a mangiare verdura, non dovresti più inchinarti ai potenti».[27] A parte le cime di rapa, in un modo o nell'altro, ne vengono fuori due scelte di vita degne di attenzione.

Aristippo, malgrado fosse nato in Africa (intorno al 435 a.C.), restava pur sempre un greco: la città dove nacque, Cirene, era stata fondata un paio di secoli prima da coloni greci provenienti dall'isola di Tera. Secondo Pindaro, la sua famiglia era la più ricca e la più nobile di tutta la Libia: questo forse per giustificare il fatto che il futuro edonista, fin da piccolo, era stato abituato a vivere nel lusso. Diciannovenne (anno più anno meno), si recò in Grecia per i giochi olimpici, e qui conobbe un certo Iscomaco che gli raccontò che in Atene c'era un uomo chiamato Socrate che affascinava la gioventù con i suoi discorsi. Pare che Aristippo, a sentire tali racconti, si emozionasse tanto «da deperire nel corpo e da diventare pallido e gracile, fino al momento in cui, assetato e ardente, non si mise in cammino verso Atene per bere a quella fonte e venire a conoscenza dell'Uomo».[28]

[27] Valerio Massimo, *Fatti e detti memorabili*, IV, 3-4; *Gnomologium Vatic.*, 733 n 192 (cit. in Giannantoni, *op. cit.*, pag. 234).
[28] Plutarco, *De curiositate*, 2, pag. 516 C (cit. in Giannantoni, *op. cit.*, p. 197).

Alcuni storici sostengono che Aristippo, prima d'incontrare Socrate, avesse già frequentato i sofisti e in particolare Protagora, anzi che lui stesso fosse un esperto sofista; altri invece sono dell'opinione che questa fama se la sia guadagnata solo per aver dato lezioni a pagamento. La mia impressione è che Aristippo era quello che a Napoli si dice *'nu signore*: gli piaceva vivere bene e per poterselo permettere si faceva pagare secondo i meriti. Al padre di un alunno, che gli aveva contestato la retta annuale dicendo «500 dracme! Ma io con 500 dracme mi compro uno schiavo!», lui rispose: «E tu compralo questo schiavo, così poi te ne troverai due: tuo figlio e quello che hai comprato».[29] Praticava tariffe differenziate in funzione della capacità degli allievi: ai più intelligenti faceva lo sconto e ai più stupidi chiedeva un sovrapprezzo.[30] Un giorno fece di tutto perché anche Socrate accettasse un compenso di venti mine, ma il vecchio filosofo «diplomaticamente» gli rispose che il dèmone non glielo avrebbe permesso.[31]

Il suo atteggiamento verso il prossimo era sicuramente quello di uno snob: una volta, durante una tempesta di mare, ebbe tanta paura che un altro viaggiatore cominciò a prenderlo in giro: «È strano che un filosofo tema a tal punto la morte, laddove io, che non sono un saggio, non provo alcun timore». E lui, più cattivo che mai: «E tu vuoi paragonare la mia vita con la tua? Io tremo per la vita di Aristippo, tu per quella di un buono a nulla!».[32]

Per capire Aristippo è necessario conoscere il suo rapporto col denaro. Non era assolutamente avido: se ne procurava abbastanza da soddisfare i suoi desideri (che erano tanti). Era solito dire: «È meglio che il denaro vada perso

[29] Plutarco, *De liber. educ.*, 7, pag. 4 F (cit. in Giannantoni, *op. cit.*, pag. 217).
[30] *Excerpta e Ms. Flor. Joan. Damasc.*, II, 13, 145 (cit. in Giannantoni, *op. cit.*, pag. 217).
[31] Diogene Laerzio, *Vite dei filosofi*, II, VIII, 65.
[32] *Ibid.*, II, VIII, 4; Aulo Gellio, *Notti attiche*, XIX, 1, 1.

per Aristippo che non Aristippo per il denaro».[33] In caso di necessità sarebbe stato prontissimo a vivere come un povero. Un giorno, uscendo dal bagno pubblico, indossò per scherzo il mantello sporco e sdrucito di Diogene. È inutile dire che quando il cinico si accorse che gli era rimasto da indossare solo la clamide di porpora del cirenaico, preferì uscirsene nudo. Questo però ci fa capire che Aristippo, in quanto a indipendenza, possedeva una marcia in più dei suoi colleghi e ce lo conferma Orazio quando dice: «Preferisco Aristippo che porta con disinvoltura entrambi i mantelli».[34]

In proposito c'è un aneddoto che coinvolge anche Platone. I due filosofi si trovavano entrambi alla corte di Dionisio (non si sa bene se il Giovane o il Vecchio), quando il tiranno li invitò a travestirsi con abiti femminili. Platone si rifiutò dicendo che lui non si sarebbe mai vestito da donna, Aristippo invece non si fece pregare e disse con molta *nonchalance*: «E perché no: anche nelle feste di Bacco, colei che è pura, non si corrompe».[35] E qui siamo giunti al nocciolo del problema: «Che cos'è la libertà interiore?». Aristippo dichiarava di possedere un tale equilibrio interno, da poter attraversare senza paura i mari della ricchezza, del potere o dell'eros. Quando lo accusavano di frequentare l'etera Laide, lui si difendeva dicendo: «La posseggo ma non ne sono posseduto» (*écho all'oùc écomai*).[36] Oppure: «Non è vergognoso entrare in casa di lei, è vergognoso non saperne uscire».[37] A titolo di cronaca, Laide, da Aristippo, non si faceva pagare, perché lo considerava un fatto pro-

[33] *Ibid.*, II, VIII, 77.
[34] Orazio, *Epistole*, I, XVII, 25.
[35] Diogene Laerzio, *Vite dei filosofi*, II, VIII, 78.
[36] Ateneo, *Deipnosofisti*, XII, 544; Cicerone, *Epistulae ad familiares*, IX, 262; Teodoreto, *Graecorum affectionum curatio*, XII, 50; Clemente Alessandrino, *Stromata*, II, XX, 118; anche Orazio nella prima epistola: «Et mihi res, non me rebus subjungere conor» (I, I, 19).
[37] Diogene Laerzio, *Vite dei filosofi*, II, VIII, 69.

mozionale,[38] mentre al povero Demostene chiedeva l'enorme cifra di 10.000 dracme.[39]

Platone non lo poteva sopportare, Senofonte lo odiava, Eschine ci litigava continuamente, Diogene lo considerava un nemico della virtù e nei secoli successivi, con l'avvento del cristianesimo, i Padri della Chiesa e gli storici più bigotti ne dissero peste e corna: ma perché ce l'avevano tutti con Aristippo? Qualcuno sostiene che lo criticavano perché si faceva pagare per le sue lezioni di filosofia, altri perché conduceva una vita dissoluta; secondo me, invece, nessuno gli perdonava il fatto di sembrare allegro.

Il primo contrasto ideologico tra i discepoli di Socrate nasce tra l'edonismo di Aristippo, che è soprattutto consapevolezza della realtà sensibile, e l'idealismo di Platone. È ovvio che tra due filosofi così diversi non poteva correre buon sangue. A un Platone, tutto stato e collettività, un individualista come Aristippo non poteva che restare antipatico; non per niente nel dialogo *Fedone*,[40] quando fa l'appello di quelli che erano presenti alla morte di Socrate, mette in risalto la sua assenza. Ecco il testo platonico:

«E forestieri ce n'erano?» chiede Echecrate.

«Sì, c'erano Simmia, Cebete e Fedonda di Tebe, e da Megara erano venuti Euclide e Terpsione» risponde Fedone.

«E Aristippo e Cleombroto?» chiede anche Echecrate.

«No, non c'erano, si dice che fossero in Egina.»

Ora Egina, un'isoletta poco distante dal Pireo, era famosa come luogo di piaceri e di dissolutezze. Tra l'altro a Egina abitava anche Laide, la «favorita» di Aristippo.[41] Plato-

[38] G.B.L. Colosio, *Aristippo di Cirene filosofo socratico*, Torino 1925.
[39] Aulo Gellio, *Notti attiche*, I, 8.
[40] Platone, *Fedone*, 59 c.
[41] «In Egina spesso s'intratteneva Aristippo lussuriosamente.» (Ateneo, *Deipnosofisti*, XII, 544 d.)

ne non sente il bisogno di precisare tutti questi dettagli, a lui bastava lasciarli intendere, tanto sapeva che gli ateniesi avrebbero saputo leggere tra le righe. In pratica è come se avesse scritto: Socrate era lì che moriva e quei due se la spassavano a Egina. A sentire Cicerone,[42] pare che il povero Cleombroto si sia addirittura suicidato, buttandosi a mare da un dirupo, per aver letto questa malignità.

Dopo la morte di Socrate, Aristippo viaggiò moltissimo: la presenza del filosofo ci viene segnalata a Siracusa, a Corinto, a Egina, a Megara, a Scillunte e ovviamente a Cirene, sua città natale. Pare che in tarda età sia anche caduto prigioniero del satrapo Artaferne in Asia Minore.[43] Morì in Italia, a Lipari, più o meno settantenne. Scrisse molti dialoghi e alcuni resoconti di viaggi, tra cui tre volumi sulla Libia. Di questa ultima opera abbiamo solo qualche frammento.

Il pensiero di Aristippo si concentra sulla capacità di saper vivere «l'istante che fugge» e sul concetto, tutto napoletano, contenuto nel verso: «*Si 'o munno è 'na rota, pigliammo 'o minuto che sta pe' passà*».[44] La maggior parte degli uomini, a seconda dell'età, sopporta la propria esistenza, o indugiando nei ricordi del passato, o aggrappandosi al futuro. Pochi esseri superiori (secondo Aristippo) riescono a vivere immergendosi nel presente. Spesso sentiamo le persone anziane sospirare con aria sognante «com'ero felice a vent'anni» (quando sappiamo benissimo che non lo erano affatto) e altrettanto spesso vediamo giovani, al culmine della loro forma fisica e intellettuale, puntare tutto su un improbabile futuro. Quasi nessuno è così in

42 «Epigramma in ambraciotam Cleombrotum est, quem ait, cum ei nihil accidisset adversi, e muro se in mare abiecisse lecto Platonis libro.» (Cicerone, *Tusculanae*, I, 34, 84.)

43 Diogene Laerzio, *Vite dei filosofi*, II, VIII, 7.

44 «Se il mondo è una ruota, prendiamo il minuto che sta per passare» è un verso della canzone *Simme 'e Napule paisà* di Fiorelli Valente.

gamba da partorire una constatazione elementare del tipo: «IN QUESTO MOMENTO NON HO MALANNI, LE PERSONE A CUI VOGLIO BENE SONO TUTTE IN BUONA SALUTE, SONO FELICE!». Avere sete e riuscire a bere un bicchiere d'acqua pensando: «Com'è buona quest'acqua» è un comportamento cirenaico.

«Il piacere è un venticello, il dolore una tempesta, la vita di tutti i giorni uno stato intermedio paragonabile alla bonaccia.» Questa prosa velica di Aristippo ci fa capire come sia necessario dirigere la nostra barca nella zona dove spira il piacere.

Per avvicinarsi ancora di più al pensiero cirenaico, prendiamo Eraclito, Aristippo e Pirandello, frulliamoli insieme e tiriamone fuori una teoria: il tempo è costituito da istanti, ognuno diverso dall'altro, e anche l'uomo non è sempre lo stesso uomo nel corso della vita. Vivere, quindi, vuol dire acchiappare l'istante giusto con la giusta disposizione d'animo, restando dappertutto uno straniero.

Questa «filosofia del presente» non ha mai incontrato le simpatie degli intellettuali: bollata dal marchio «*penzamme 'a salute*», è diventata sinonimo di disimpegno morale e politico, e come tale non utilizzabile ai fini di una trasformazione della società. Ciononostante c'è chi considera Aristippo il più socratico dei socratici, proprio per la sua totale indipendenza nei confronti dei problemi della vita. Se per i cinici «libertà» voleva dire accontentarsi di poco per non subire la schiavitù dei piaceri, per i cirenaici è «ancora più libertà» essere capaci di attraversare i piaceri della vita senza restarne invischiati.

Aristippo precede di circa un secolo il collega Epicuro, la differenza tra i due sta nel fatto che il primo era molto più «epicureo» del secondo. Mentre Epicuro infatti opera delle distinzioni fra i piaceri e ne valuta le conseguenze, i cirenaici praticavano il piacere per il piacere senza starci a pensare più di tanto (*mé diaférein hēdonén hēdonés*).[45]

[45] Diogene Laerzio, *Vite dei filosofi*, II, VIII, 87.

I più noti seguaci di Aristippo furono: la figlia Aretè, educata al piacere e nel contempo al disprezzo del superfluo, Teodoro detto l'Ateo ed Egesia. Come spesso accade, i discepoli scavalcarono a sinistra il maestro (o a destra, come in questo caso).

Teodoro suggeriva di arraffare il piacere dovunque esso si trovasse, senza farsi condizionare da falsi moralismi. Teorico dell'egoismo, non ammetteva nemmeno l'amicizia: «È un sentimento di mutuo soccorso utile solo agli sciocchi. I saggi, in quanto autosufficienti, non ne avvertono alcun bisogno».[46]

Egesia era il più radicale di tutti: «Dal momento che non è possibile raggiungere una condizione stabile di piacere e che la vita, con le sue emozioni, ci procura essenzialmente dolore, tanto vale morire». Fermava i passanti per strada e cercava di convincerli al suicidio: «Ascoltami, fratello: tu sai con sicurezza che devi morire, quello che però non sai, è quale tipo di morte ti attende: magari il Fato ti ha riservato una morte violenta e dolorosa, oppure una malattia lenta e crudele. Senti il consiglio di un saggio: suicidati! Un attimo e ti togli il pensiero!». Pare che ogni mese riuscisse a far fuori un paio di ateniesi. Era chiamato *peisithánatos*, «persuasore di morte».[47]

I megarici

Euclide di Megara (da non confondere con l'altro Euclide, il matematico) fu il più anziano dei discepoli di Socrate. I suoi dati anagrafici non ci sono noti, ma a occhio e croce potremmo dire che sia vissuto tra il 435 e il 365 avanti Cri-

[46] *Ibid.*, II, VIII, 98.
[47] *Ibid.*, II, VIII, 94.

sto.[48] Da giovanotto iniziò lo studio della filosofia, dedicandosi a Parmenide: evidentemente la venuta ad Atene del filosofo di Elea nel 450, aveva lasciato un buon ricordo tra i pensatori greci. Conosciuto Socrate, cercò per tutta la vita di conciliare gli insegnamenti del maestro con le teorie di Parmenide. I suoi seguaci furono chiamati *megarici* o anche *dialettici* per l'abitudine di condurre i discorsi per domande e risposte successive.

Da Parmenide aveva imparato che tutte le cose di questo mondo hanno un loro valore intrinseco, chiamato *essere*, e un insieme di apparenze, chiamato *non essere*. Quando ci diamo da fare per raggiungere uno scopo, dobbiamo prestare attenzione che l'oggetto dei nostri desideri sia per l'appunto l'*essere* e non l'*apparire*. Tanto per fare un esempio terra terra: se desidero diventare capo dello stato perché sento il bisogno di migliorare la vita dei miei concittadini, mi sarò avvicinato all'*essere* del mestiere di capo dello stato; se invece ciò che mi attrae nel nuovo incarico è solo il prestigio, gli onori e il potere, allora vuol dire che sono stato attratto dall'*apparire* del ruolo e non ho alcuna speranza di raggiungere il Bene.

In genere gli studiosi di filosofia non sono disposti a dare esempi elementari di *essere*, così come ho appena fatto, probabilmente perché temono di banalizzarne i significati (sarebbe come, per i mussulmani, fare un ritratto di Allah), io invece cerco come posso di dare qualche dritta al lettore per aiutarlo a capire.

Dal momento che Socrate aveva detto che l'importante nella vita è il raggiungimento della conoscenza, e quindi del Bene, per Euclide fu facile mettere d'accordo il pensiero del maestro con quello di Parmenide e concludere che il Bene era l'*essere*, ovvero l'Uno, eterno e indivisibile, mentre tutto il resto non conta perché *non è*.

48 *Ibid.*, II, X, 106.

Conclusione

I socratici si occuparono essenzialmente di etica e trascurarono, contrariamente ai loro predecessori, lo studio della natura. La svolta di Socrate è stata quella di portare l'attenzione degli studiosi sull'Uomo e sui suoi problemi morali, conferendo alla filosofia una dimensione pratica che ce la rende più simpatica. A questo punto cerchiamo di ricavarne anche noi qualche utile consiglio di vita.

Socrate sosteneva che colui che sa cosa sia il Bene, non può essere così stupido da non desiderarlo, agirebbe contro il proprio interesse. Lo scopo della vita, quindi, è la conoscenza del Bene.

I cinici ritenevano che il Bene fosse la libertà individuale e, per non essere troppo condizionati dal mondo esterno, riducevano al minimo indispensabile i loro bisogni primari.

I cirenaici pensavano che il Bene fosse il piacere e il Male il dolore. Acchiappare il piacere, diceva Aristippo, è lo scopo della vita, facendo attenzione però a non restarne schiavi.

I megarici avevano del Bene un'idea più astratta: il Bene è l'*essere*, il Male il *divenire*. Atteggiamento, in fondo, religioso, giacché Euclide sosteneva che «il sommo Bene era uno solo, anche se in genere poteva essere chiamato con molti nomi: prudenza, Dio, mente, saggezza e così via».[49]

[49] *Ibid.*, II, X, 106.

III
Sciscìò

Negli anni Cinquanta ho conosciuto anch'io un cinico: si chiamava Sciscìò Morante e viveva prevalentemente sulla costiera amalfitana. Barbone gentiluomo, bello di aspetto, galante con le signore, riservato, senza fissa dimora, un po' snob, orgoglioso come un nobile spagnolo e senza una lira in tasca, anzi, diciamo pure senza nemmeno le tasche, dal momento che, per evitare di metterci dentro qualcosa, se l'era fatte cucire da Pepito, il migliore pantalonaio di Positano.

Sciscìò era visibile solo nelle stagioni calde, da aprile a ottobre, poi ai primi freddi si eclissava, probabilmente cadeva in letargo. C'era chi ne segnalava la presenza a Cortina o al Sestriere, ospite di qualche signora che aveva conosciuto durante il periodo estivo, ma la notizia era quasi sempre infondata, dato che tutti facevano a gara a inventare le «ultime avventure di Sciscìò».

La sua famiglia apparteneva a quella vecchia borghesia napoletana che considerava «il lavoro» un fatto di esclusiva pertinenza del ceto popolare (e questo, bisogna ammetterlo, è un modo di pensare, oggi superato, che abbiamo ereditato dai greci). Non potendo lavorare per tradizione familiare, Sciscìò campava di cappuccini, di brioches e di inviti a cena; ciononostante, nessuno lo ha mai visto chiedere soldi a un

amico. Una volta si fece dare mille lire da Franca Valeri per comprare un pacchetto di Nazionali, ma subito dopo tornò da lei, tutto sorridente, con in mano le sigarette e una rosa.

«Scisciò, *comme stai*?» gli chiedevo quando lo incontravo.

«Benissimo:» rispondeva lui «*tengo pure 'o frigorifero.*»

Le «piazze» dove preferiva vivere erano Capri e Positano. Raramente optava per Ischia, dove invece avrebbe potuto godere di tutta l'ospitalità che voleva, data la presenza sull'isola di alcuni parenti molto ricchi (tra l'altro proprietari di un albergo). Scisciò in questo era strano: a volte affrontava viaggi durissimi, pur di procurarsi un tetto, altre volte invece sfoderava un orgoglio smisurato, come quando andava dai suoi parenti ischitani e si abboffava di fichi d'india lungo la strada, per evitare di essere invitato a pranzo.

Un giorno gli regalai un pullover giallo, un po' vistoso.

«Grazie» mi disse «ma il giallo non mi sta bene, m'ingrassa. Poi qua la sera va di moda il blu.»

Anche se lo avesse accettato, non lo avrebbe portato a lungo: non avendo il concetto di proprietà, o lo abbandonava per strada, su un muretto, o lo lasciava come contropartita a un bar per un bicchierino di whisky.

Per mangiare aveva fatto un accordo con i ristoranti.

«Per una strana coincidenza voi qui a Positano siete esattamente sessantuno. Facendo un turno, vi tocca un pasto ogni due mesi. Per quanto riguarda la mattina non vi preoccupate perché ci sono sempre gli amici che fanno a gara per offrirmi qualcosa.»

Al ristorante ordinava lo stretto indispensabile: «uno spaghetto a vongole» e un bicchiere di vino. Cosciente di essere un ospite, non ne approfittava.

Un giorno si fermò, quasi in modo stabile, al «Rancio Fel-

lone», il bellissimo ritrovo di Sandro Petti a Porto d'Ischia. Sennonché, avendogli proposto Sandro un piccolo stipendio, per compensarlo delle pubbliche relazioni che involontariamente finiva per fare, sparì e non si fece più vedere.

Diceva di voler scrivere un libro di memorie intitolato: *La cicala operosa*, ma non andò mai oltre il titolo.

Sciscò cambiò di carattere subito dopo aver partecipato come attore al film di Vittorio Caprioli, *Leoni al sole*. Lui stesso accusò il povero Vittorio di averlo danneggiato.

«Ti voglio bene ma ti odio: mi hai pagato e mi hai distrutto!»

Leoni al sole fu per noi napoletani l'equivalente dei *Vitelloni* di Fellini: raccontava le nostre estati inutili e dispersive, l'avventura con la svedese, la voglia inconfessabile del grande amore, la piccola colazione scippata alla milanese di passaggio. Tutto accadeva a Positano negli anni Sessanta e i leoni della storia, mollemente sdraiati sugli scogli, erano chiamati all'epoca Giuggiù, Frichì, Sciscò, Sasà, Cocò e Cunfettiello. Ovviamente Sciscò fu l'unico a non essere costretto a cambiar nome. Ispiratore e sceneggiatore del film (insieme a Caprioli) Dudù La Capria, l'autore di *Ferito a morte*, uno dei libri più veri e più belli scritti sulla Napoli della gente-bene.

Come ho già detto, i soldi guadagnati con il film (cinquecentomila lire) lo turbarono profondamente. In un primo tempo cercò di disfarsene invitando tutti a cena, anche quelli che non conosceva, poi, ritornato povero, perse quel tono distaccato e gentile che gli era solito e cominciò a rispondere con asprezza anche alle domande più innocenti.

«Sciscò come stai?»

«E come vuoi che debbo stare? Sto bene!»

Invece non stava bene affatto. Il bere continuo, quasi sempre a stomaco vuoto, lo distrusse. Morì di cirrosi epatica, a

cinquantacinque anni, durante una vigilia di Natale. Era solo, in un lettino di ospedale, e un medico di guardia, forse troppo giovane e troppo severo, gli proibì di bere quel bicchierino di whisky che lo avrebbe tenuto in vita ancora per qualche giorno.

IV
Platone

La vita

Aristocle, in arte Platone,[1] figlio di Aristone e Perittione, nacque ad Atene, sotto il segno del Toro, intorno al 428 avanti Cristo. Racconta la leggenda che, essendo venuto al mondo nello stesso giorno in cui nacque Apollo,[2] i genitori lo portarono ancora in fasce sul monte Imetto per ringraziare il dio, e che mentre erano lì, tutti intenti al rito religioso, uno sciame di api si posò sulla sua bocca e la riempì di miele.[3] Questo aneddoto con ogni probabilità è fasullo, anzi lo è di sicuro, ma dimostra quale ammirazione il mondo antico abbia sempre avuto per il suo genio.

Platone era un aristocratico: da parte di padre discendeva da Codro, l'ultimo re di Atene e quindi dal dio Posidone in persona, da parte di madre aveva avuto come bisnonno del bisnonno Dropide, il fratello di Solone, grande uomo politico e legislatore della città di Atene, e infine, sempre da parte di madre, poteva contare sull'aiuto di zio Carmide e di zio Crizia, due dei Trenta Tiranni. Con una parentela così autorevole (la sua era una specie di famiglia Kennedy del V secolo avanti Cristo), era inevitabile che anche a lui venisse voglia di far politica.

[1] Il soprannome Platone gli venne dato a causa della larghezza (*plátos*) delle spalle. Timone di Fliunte, nei *Silli*, lo definisce «spallutissimo» (*platistakós*) fr. 7 Wach fr. Diels. Diogene Laerzio, III, 7.
[2] Il settimo del mese di Targelione (maggio-giugno).
[3] Giuseppe Zuccante, *Platone*, Paravia, Milano 1924, pag. 6.

Nella settima lettera ai siracusani[4] è lo stesso Platone a confermare un interesse per la politica: «Quand'ero giovane ebbi un'esperienza simile a quella di molti altri ragazzi della mia età: pensavo di dedicarmi alla politica non appena fossi stato in grado di provvedere a me stesso».[5] Sennonché le delusioni avute nei primi anni con la democrazia furono tali e tante che perse ogni fiducia negli uomini politici. D'altra parte, come dargli torto? Pericle era sparito da un pezzo e con lui il momento magico dell'«illuminismo» ateniese. I successori, i demagoghi Cleone e Iperbolo, erano due mezzecalzette, e Alcibiade, con tutto il rispetto per la sua intelligenza, era un individuo poco affidabile dal punto di vista morale. Questa l'impressione che dovette avere Platone della democrazia. Poi arrivò la guerra del Peloponneso, la sconfitta di Egospotami, una certa mitizzazione dell'efficienza spartana e la conseguente restaurazione a opera dei Trenta Tiranni; durante questo breve periodo, durato non più di un anno, gli zii Crizia e Carmide lo invitarono a darsi da fare, ma quando Platone si rese conto che anche gli aristocratici altro non facevano che vendicarsi dei soprusi patiti nella precedente legislazione, abbandonò la politica e si dedicò anima e corpo alla filosofia. Infine, una volta ritornata al potere la democrazia, vide condannare a morte proprio Socrate, l'unico uomo che riteneva degno di essere ammirato. Dopo una esperienza del genere, non possiamo meravigliarci se per tutta la vita continuò a essere un sincero e onesto antidemocratico.

L'incontro con Socrate fu per Platone un vero colpo di fulmine. Si dice che a vent'anni si occupasse solo di poesia e

[4] La *VII Epistola* è in pratica una piccola autobiografia riferita ai viaggi in Sicilia. Fino a qualche anno fa nessuno ne metteva in dubbio l'autenticità, poi improvvisamente è arrivato un computer a insinuare che potrebbe anche essere un falso d'epoca dovuto a Speusippo. Noi, malgrado la nostra militanza a favore dell'informatica, continuiamo a pensare che sia stata scritta da Platone.
[5] Platone, *VII Epistola*, 324 b.

che un giorno stava andando a teatro per partecipare a una gara poetica, quando vide Socrate parlare a un gruppo di giovani. Capì subito che quel vecchio sarebbe stato la sua nuova guida spirituale: buttò nel fuoco le poesie e cominciò a seguirlo.[6]

Dopo la morte del maestro, insieme ad altri discepoli, nel timore di subire persecuzioni, si rifugiò a Megara, presso il collega Euclide, e lì rimase tre anni. Finché un bel giorno, più assetato che mai di nuove conoscenze, iniziò quello che potremmo definire il corso base dei filosofi: visita ai matematici di Cirene, ai profeti in Egitto e ai pitagorici in Italia. Per completare il giro avrebbe dovuto visitare anche i Magi in Asia Minore, ma la zona era funestata da una serie di guerre (come oggi del resto) e lui preferì rinunciare.

In Sicilia, a quanto pare, Platone si recò per motivi turistici, per vedere il cratere dell'Etna e il punto esatto dove s'era suicidato Empedocle. Finì invece col conoscere colui che sarebbe diventato il secondo uomo determinante della sua vita, il giovane Dione.

Dione era il cognato di Dionisio, il numero uno della città di Siracusa;[7] mentre il tiranno però era un uomo autoritario e crudele, il giovanotto era un idealista: aveva sentito parlare di Platone e delle sue idee politiche e desiderava farlo venire a Siracusa perché convertisse il cognato alla tirannide illuminata.

Purtroppo le cose non andarono come aveva sperato Dione: Platone si schifò subito delle abitudini di corte e Dionisio, da parte sua, guardò con sospetto quell'ateniese

[6] Diogene Laerzio, *Vite dei filosofi*, III, 5.

[7] Dionisio il Vecchio sposò due donne nello stesso giorno: Doride e Aristomache. Dione era il fratello di quest'ultima. La prima notte di nozze il tiranno andò a letto con tutte e due le mogli, dal secondo giorno in poi invece le alternò: nei dispari dormiva con Doride e nei pari con Aristomache. Cfr. Plutarco, *Vita di Dione*, in *Vite parallele*, trad. it. cit.

che parlava come se fosse un oracolo. Tanto per capire quale era il clima di una reggia siciliana del IV secolo, una volta fu imbandito un pranzo che durò novanta giorni di seguito.[8] Molti anni dopo, nel raccontare l'esperienza siciliana, Platone confesserà che non gli piacque per nulla «quella vita cosiddetta beata, piena di banchetti italioti, né quel riempirsi lo stomaco due volte al giorno e quel dormire ogni notte in compagnia».[9]

Il peggio accadde quando Platone e Dionisio si misero a discutere di filosofia. L'argomento scelto fu la Virtù. Platone iniziò il dibattito dicendo che un uomo virtuoso è più felice di un tiranno, e Dionisio, che già sospettava di non essere sufficientemente riverito, gli chiese a bruciapelo:

«Ma che sei venuto a fare in Sicilia?»
«A cercare un uomo virtuoso.»
«E non pensi di averlo già trovato?»
«No di certo.»
«Le tue parole sanno di rimbambimento senile!» esclamò Dionisio più incavolato che mai.
«E le tue di tirannide» replicò il filosofo.

Mezz'ora dopo Platone veniva legato e imbarcato sulla nave dello spartano Pollide, con l'ordine di portarlo a Egina e di venderlo al mercato degli schiavi.[10]

«Tanto è un filosofo» spiegò Dionisio in tono rassicurante, «e non se ne accorgerà nemmeno!»[11]

Fortunatamente per Platone, a Egina si trovava di passaggio uno dei suoi *fans* libici, un certo Anniceride di Cirene, che non solo riuscì a riscattarlo per venti mine, ma gli regalò anche il denaro necessario per acquistare un terreno dove costruire una scuola.

[8] Plutarco, *Vita di Dione*, 7.
[9] Platone, *VII Epistola*, 326 b.
[10] Diogene Laerzio, *Vite dei filosofi*, III, 18.
[11] Plutarco, *Vita di Dione*, 5.

La fondazione dell'Accademia fu un evento culturale fra i più importanti del mondo antico. Si trattava di una scuola situata a circa un paio di chilometri da Atene, lungo la strada dei sepolcri degli uomini illustri, totalmente immersa in un grande parco. Eccone una descrizione tratta dal *Fedro*: «Più gentile di ogni altra cosa era l'erba, cresciuta così soffice sul dolce pendio, da permettere, a chi si sdraiava, di poggiare dolcemente il capo».[12] Il tutto accanto a un boschetto dedicato all'eroe Academo, che nessuno, in verità, ha mai saputo che cosa abbia fatto di così importante da meritarsi tanto onore. Quando si dice la fortuna! Mai e poi mai il signor Academo avrebbe potuto immaginare che il suo nome sarebbe stato utilizzato nel corso dei secoli per denominare i luoghi sacri alla cultura.

Qui, intorno a Platone, si riunì un folto gruppo di discepoli (Senocrate, Speusippo, Aristotele, Eraclide Pontico, Callippo, Erasto, Timolao e altri) e di discepole (Lastenia e Assiotea, quest'ultima in abiti maschili).[13] La loro vita si svolgeva serena tra passeggiate e conversazioni, in un gradevole scenario di viali ombrosi e di ruscelli, e nulla sarebbe cambiato se Dione, da Siracusa, non avesse continuato a premere perché Platone tornasse in Sicilia.

Dionisio il Vecchio, pace all'anima sua, era morto, e al suo posto era subentrato il figlio primogenito, Dionisio il Giovane. Plutarco racconta che il padre, nel timore di averlo come concorrente, lo aveva tenuto rinchiuso in casa fin dall'adolescenza, e che in tutto quel tempo il poverino si era dedicato al bricolage, costruendo sgabelli, piccole lampade e tavoli di legno.[14] Una volta salito al potere il nuovo monarca, Dione pensò bene che, data la docilità del suo temperamento, quella era l'occasione buona per mettere alla prova la repubblica platonica.

[12] Platone, *Fedro*, 230 c.
[13] Diogene Laerzio, *Vite dei filosofi*, III, 46.
[14] Plutarco, *Vita di Dione*, 9.

Platone, in verità, dopo l'esito catastrofico del primo viaggio, non aveva nessuna voglia d'imbarcarsi di nuovo per la Sicilia, non solo per la lunghezza del viaggio, ma anche perché, a suo dire, «non aveva fiducia nei giovani». Poi alla fine ruppe gli indugi, se non altro per evitare di «apparire ai suoi stessi occhi come uno di quegli uomini che parlano parlano e non fanno mai niente».[15]

Questa volta fu ricevuto con molti onori, ma ben presto la situazione degenerò a causa di alcuni cortigiani che, vedendolo di malocchio, accusarono lui e Dione di alto tradimento. Il giovane tiranno, non sapendo che fare, nel dubbio, prima cacciò lo zio e poi impedì a Platone di partire con lui.

«Non voglio» spiegò il giovanotto «che, una volta ad Atene, possiate parlare male di me.»

«Spero che in Accademia non ci sia una tale scarsità di argomenti da essere costretti a parlare di queste cose» rispose sardonico il filosofo.

In pratica Platone, pur ricevendo un trattamento da ospite di riguardo, era a tutti gli effetti un prigioniero. Il contrasto tra zio e nipote dipendeva essenzialmente dal fatto che Dionisio era geloso dell'affetto che Platone nutriva per Dione. Inutile precisare che di cambiare la costituzione manco se ne parlava. Dionisio il Giovane era sì amante della filosofia, ma solo a chiacchiere: quanto alla vita di ogni giorno, si comportava né più né meno come il padre. Comunque, ancora una volta Platone riuscì a scappare da Siracusa e quando ritornò all'Accademia trovò all'arrivo, insieme con gli altri discepoli, il caro Dione che lo aspettava.

La storia dei viaggi in Sicilia non finisce qui: c'è un terzo viaggio che merita di essere raccontato. Da un certo anno in poi Dionisio cominciò a tempestare Platone con lettere e

[15] Platone, *VII Epistola*, 328 b-c.

suppliche perché tornasse di nuovo a Siracusa, ricorse all'aiuto dei pitagorici di Taranto, ripeté a tutti che non poteva vivere senza il suo maestro, gli mandò una trireme velocissima e infine gli dichiarò, chiaro e tondo, che se non fosse tornato, non avrebbe più restituito a Dione alcuno dei suoi beni.

Platone ormai si era fatto vecchio (aveva già compiuto sessantasette anni) e Atene-Siracusa via mare, a quei tempi, non doveva essere uno scherzo. L'amicizia per Dione però ebbe il sopravvento e lui si rassegnò a «ripercorrere la mortal Cariddi».[16] Naturalmente Dionisio si rimangiò tutte le promesse fatte e Platone, per la terza volta, dovette faticare per salvare la pelle. Ci riuscì con l'aiuto dell'amico Archita, un pitagorico tarantino che venne a prelevarlo di notte con una trireme. Tanto per la cronaca, qualche anno dopo Dione con ottocento uomini portò un attacco armato a Siracusa e detronizzò Dionisio. In seguito però fu ucciso a tradimento da un certo Callippo, uno dei discepoli di Platone che lo aveva affiancato fin dall'inizio. La storia insegna che l'8,33 per cento dei discepoli lascia sempre un po' a desiderare.

Platone morì a ottantuno anni durante un banchetto di nozze[17] e fu sepolto nel boschetto dell'eroe Academo.[18] Nel corso della sua lunga vita, nessuno lo aveva mai visto ridere.[19]

Lo stato ideale

Supponiamo che un lettore qualsiasi, senza saper nulla di filosofia, prenda in mano la *Repubblica* di Platone e ne leg-

16 La frase è stata presa dalla *Vita di Dione* di Plutarco. Quello però che non si capisce è perché Platone, andando da Atene a Siracusa, avrebbe dovuto passare per la mortale Cariddi che è molto più a nord!

17 Ermippo di Smirne, fr. 33 Müller; cfr. Diogene Laerzio, *Vite dei filosofi*, III, 2.

18 *Ibid.*, III, 41.

19 Eraclide Lembo, fr. 16 Müller; cfr. Diogene Laerzio, *Vite dei filosofi*, III, 26.

ga i primi cinque libri: a lettura ultimata, che idea si sarà fatta del suo autore? Che è un fetentone tremendo, paragonabile a Hitler, Stalin e Pol Pot. Ma allora come spiegare il successo che ha sempre avuto nel mondo? Calma e gesso, dicono i giocatori di carambola: leggiamoci prima il dialogo e poi ne parliamo.

La *Repubblica* comincia con una riunione di amici in casa di Cefalo. Sono presenti Polemarco, Eutidemo, Glaucone, Trasimaco, Lisia, Adimanto e altri signori. Tema del giorno: «Che cos'è la giustizia».

Cefalo è il primo a parlare: per lui giustizia vuol dire «pagare i debiti», per Polemarco è «far bene agli amici e male ai nemici» e per Trasimaco è «l'utile del più forte». E fin qui, grazie a Dio, c'è solo una certa confusione d'idee. Poi però interviene Socrate e il discorso si fa ancora più equivocabile. In effetti, alcuni concetti base, come giustizia e democrazia, avevano per i greci un significato del tutto diverso da quello che poi assumeranno ai giorni nostri, per cui certe affermazioni di Platone, lette oggi, possono sembrare reazionarie. Tanto per capire come stanno le cose, noi, eredi della Rivoluzione francese, pensiamo che la giustizia sia soprattutto *egalité*, ovvero uguaglianza dei diritti dei cittadini, mentre per Platone e compagni coincideva con l'ordine, e come tale la si poteva ottenere solo quando «ognuno faceva il proprio dovere senza interferire in quello degli altri».[20] Comunque, ecco qui di seguito alcuni stralci della *Repubblica*, nello stile di «Selezione dal Reader's Digest»:

«Per capire che cos'è la giustizia» dice Socrate «proviamo ad assistere alla nascita di uno stato.»

«Proviamo» acconsentono tutti.

[20] Platone, *Repubblica*, IV, 433 a.

«Secondo me,» prosegue il filosofo «uno stato nasce perché ciascuno di noi non basta a se stesso. L'uomo ha tanti bisogni, così tanti che più uomini sono costretti a vivere insieme per aiutarsi l'un l'altro. A questa convivenza noi daremo il nome di stato.»

«Senza dubbio» concordano i presenti che da questo momento in poi avranno solo il ruolo di spalla.

«Ora il primo dei bisogni è il cibo, il secondo l'abitazione, il terzo il vestiario e così di seguito. Nel nostro stato allora ci sarà bisogno di un agricoltore, di un muratore, di un tessitore e poi magari anche di un calzolaio. Ciascuno si specializzerà nel proprio lavoro, producendo per sé e per gli altri, giacché, per raggiungere la massima efficienza, è necessario che ciascuno faccia il proprio mestiere e non il mestiere degli altri. Ogni categoria però avrà bisogno anche di attrezzi per poter lavorare: di aratri, di cazzuole e di cesoie, e quindi di carpentieri, di fabbri e di tanti altri artigiani. Come vedete, più parliamo, e più il nostro stato diventa popoloso.»

«In verità, o Socrate, è già molto popoloso.»

«Ma la produzione interna potrebbe anche non bastare,» continua Socrate «nel qual caso dovremmo ricorrere a scambi con gli stati vicini e per far questo avremo bisogno di commercianti abili ed esperti. E infine di marinai, di piloti e comandanti per i trasporti via mare. Poi, dal momento che a nostra volta riceveremmo la visita di commercianti stranieri, avremo bisogno di persone che sappiano fare da intermediari tra costoro e i nostri agricoltori.» (369 a-371 e.)

Insomma, pian pianino Platone fa inventare al suo Socrate una comunità operosa. Ovviamente, come al suo solito, prende il discorso molto da lontano, anche perché in Grecia se c'era qualcosa che non mancava era il tempo.

Questa volta è Glaucone a parlare.

«Purtroppo, o Socrate, elencando i bisogni dell'uomo, tu hai parlato solo di cibo, di vestiario e di abitazione, limitandoti a desiderare il minimo indispensabile. Forse, se avessi dovuto progettare uno stato di porci, non li avresti nutriti in modo diverso!»

«E cosa mi consigli?»

«Di tener conto delle abitudini in uso presso la gente dabbene: bei letti dove sdraiarsi, pasticcini di fichi...»

«Ho capito, Glaucone, tu vorresti uno stato gonfio di lusso, dove ci siano profumi, incensi ed etère. E dimmi: ti piacerebbe che ci fossero anche imitatori, musici, rapsòdi, poeti, valletti, attori, impresari, corèuti e fabbricanti di monili e suppellettili, soprattutto per accontentare le nostre donne?»

«E perché no?»

«Perché in tal caso» risponde Socrate «avremo bisogno di un territorio più vasto per nutrire tutti questi abitanti, e saremo costretti a sottrarlo ai nostri vicini. E anche loro, se saranno avidi come noi, vorranno prendersi una parte del nostro territorio.»

«E allora come andrà a finire?»

«Che scoppierà una guerra tra noi e i nostri vicini, e che avremo bisogno di soldati, bene addestrati, per difenderci e aggredire.»

«Non potranno bastare i cittadini da soli?»

«No, se è valido il principio che abbiamo accettato fin dall'inizio: che ognuno faccia il suo mestiere e non quello degli altri.» (372 d-374 a.)

E così Platone, dopo aver definito l'agricoltura, l'artigianato e il terziario, inventa anche il militare di carriera.

«Questi soldati, che chiameremo i custodi dello stato, dovranno essere miti con i compagni e duri con i nemici.».

«E come è possibile, o Socrate, trovare uomini con un carattere mite e coraggioso nel medesimo tempo?»

«Formandoli con la musica e la ginnastica.»
«Nella musica fai rientrare anche le composizioni letterarie?»
«Tutto quello che dipende dalle Muse è musica» risponde Socrate, «a eccezione delle favole false.»
«Di quali favole intendi parlare?»
«Di quelle di Omero, di Esiodo e di altri poeti.»
«Cosa trovi in essi, o Socrate, di criticabile?»
«Il fatto che mostrino gli dei e gli eroi con tutte le nostre debolezze, che ci parlino di divinità spergiure e sopraffatte dall'ira, di eroi che piangono e di dei che ridono...»
«Di dei che ridono?!»
«Sì, che ridono:» ribadisce Socrate «giacché è disdicevole essere troppo facili al riso e non si può approvare chi, come Omero, scrive versi del genere: "Inestinguibili risate scoppiarono tra i numi beati / come videro Efesto in faccende girar per la casa". Ora io penso che queste cose, anche se vere, non dovrebbero mai essere raccontate ai bambini o alle persone immature, ma sarebbe opportuno tacerle o al massimo farle conoscere a un numero ristretto di persone, dopo aver sacrificato agli dei una vittima di raro pregio e grandi dimensioni.» (374 a-377 a.)

Con questo invito alla censura termina il secondo libro della *Repubblica*. Nel terzo si precisa quale musica e quale ginnastica occorrano per educare i custodi. Niente melodie ioniche o lidie, tipo *core 'ngrato* tanto per intenderci, che potrebbero produrre «combattenti smidollati», ma marce militari, doriche o frigie, che possano infondere coraggio e amore verso la patria. Attenzione però, anche una educazione basata solo sulle arti marziali potrebbe risultare pericolosa: finirebbe infatti col formare non uomini pensanti, ma belve, incapaci di persuadere gli altri uomini con la forza della parola.

Ciò detto, si entra nel vivo del discorso: alcuni dei guardiani saranno più bravi a comandare e altri a essere comandati. Una volta scelti i primi, avremo tre classi di individui: quelli che comandano (i filosofi), quelli che combattono (i soldati) e quelli che lavorano (gli agricoltori e tutti gli altri). La Repubblica di Platone è quindi uno stato con una serie A, una serie B e una serie C di cittadini, nel quale chi nasce in una categoria finisce, con ogni probabilità, col rimanerci per tutta la vita, a meno che non venga promosso per meriti speciali o retrocesso per demeriti.

«Quando lo si fa a fin di bene» precisa Socrate «è lecito ricorrere alle menzogne. Noi dunque diremo ai nostri cittadini: siete tutti fratelli, ma la divinità, mentre vi plasmava, ha mescolato dell'oro in quelli che erano destinati a comandare, dell'argento negli ausiliari e del bronzo nei lavoratori.»

«E se un giorno un cittadino di una classe superiore si accorgesse di avere un figlio fatto di bronzo, cosa dovrebbe fare?»

«Inserirlo senza pietà tra i lavoratori, così come, reciprocamente, se da costoro nascesse un figlio con chiare tracce d'oro e d'argento, sarà compito dei custodi sottrarlo ai genitori per elevarlo al rango dovuto.»

«E diventerebbe ricco?»

«Niente affatto,» risponde Socrate «nessuno dei guardiani, sia esso filosofo o soldato, dovrà mai avere sostanze personali. Solo il popolo potrà continuare a possedere proprietà terriere. Per quanto riguarda invece il cibo, i custodi riceveranno tutto quello che sarà necessario al loro benessere. Vivranno in comune e prenderanno i pasti insieme, come se si trovassero in caserma.»

«E non pensi che così vivendo sarebbero infelici?» chiede Adimanto. «Pur avendo in pugno lo stato, non ne potrebbero ricavare alcun profitto, né essere generosi con le etère o avere case belle e spaziose.»

«Il fatto è, mio caro Adimanto, che lo scopo che ci siamo prefisso non è quello di rendere felice una classe o un individuo, ma tutto lo stato nel suo insieme. Tieni conto che la grande ricchezza e l'estrema povertà rendono l'uomo infelice, in quanto l'una produce lusso, pigrizia e moti rivoluzionari, e l'altra grettezza, lavoro scadente e moti rivoluzionari.»

«Ma in tutti gli stati che conosco esistono ricchezza e povertà!»

«Sì,» replica Socrate «perché invece di essere stati unitari, sono costituiti da due classi, quella dei ricchi e quella dei poveri, l'una nemica dell'altra, come nel gioco delle *póleis*.[21]» (414 b-422 a.)

Dalla giustizia sociale, Platone passa alla giustizia nel singolo individuo, che ha tre anime, così come lo stato ha tre classi di cittadini.

«In ciascun individuo» dice Socrate «ci sono tre anime fra loro diverse: la prima, che serve a ragionare e che chiamerò razionale, la seconda (passionale) che lo rende intrepido, e la terza che gli fa desiderare l'amore, il cibo e l'acqua e che chiamerò appetitiva. Ora, per mostrare come queste tre anime si comportino, vi racconterò un aneddoto: un giorno Leonzio, figlio di Aglaione, stava salendo dal Pireo, quando vide alcuni cadaveri appena deposti dal boia. Un po' il giovanotto moriva dalla voglia di guardare e un po' aveva paura di farlo; finché, vinto dal desiderio, li osservò e disse: "Eccoli a voi, occhi sciagurati, saziatevi pure di questo bello spettacolo!". In quel caso l'anima intrepida si era alleata con l'appetitiva contro la razionale. Ebbene, perché ci sia giustizia, è necessario che il coraggio (la classe dei soldati) sia sempre al servizio della razionalità (la classe dei filosofi) e mai degli appetiti (il popolo).» (439 d-440 a.)

[21] Qui Platone fa riferimento a un gioco popolare (una specie di Monopoli del IV secolo), dove su una scacchiera di sessanta spazi ogni giocatore doveva conquistare quanti più lotti poteva.

A questo punto Socrate fa per andar via, ma Adimanto lo afferra per la tunica e lo trattiene.

«A nostro avviso, tu ci derubi di una parte del discorso. Hai creduto di cavartela dicendo che tra i custodi viene messo tutto in comune, anche le donne; ma in che modo si attuerebbe questa comunanza?»

«Non è facile affrontare simili discorsi,» risponde Socrate alquanto imbarazzato «la soluzione che propongo, amici carissimi, è inconsueta e le mie parole potrebbero sembrare un'utopia.»

«Non esitare, o Socrate, dal momento che quelli che ti ascoltano non sono né increduli, né ostili.»

«Allora seguitemi: supponiamo di considerare le donne pari agli uomini...»

«Come sarebbe a dire pari?»

«In grado di svolgere le stesse funzioni dei custodi, in modo che l'unica differenza esistente stia nel fatto che le prime sono più deboli e i secondi più vigorosi...»

«Ma è impossibile...»

«...e diamo loro la stessa educazione che abbiamo riservata ai custodi, ovvero la musica e la ginnastica.»

«Sarebbe davvero ridicolo!»

«Che cosa ci trovi di tanto ridicolo?» chiede Socrate alzando la voce. «Che le donne facciano la ginnastica nude insieme agli uomini? E come vuoi che possano essere d'aiuto allo stato, se prima non le istruisci a dovere?»

«D'accordo, ma questa tua idea è dirompente come un'ondata che si abbatte sulle nostre abitudini.»

«Se ti sembra già alta la prima ondata, sta' ora attento alla seconda.»

«Ti ascolto, o Socrate.»

«Queste donne, come dicevo, saranno date agli uomini: tutte a tutti e nessuna a uno soltanto. Anche i figli saranno allevati in comune, in modo che non ci sia genitore che possa riconoscere i propri.»

«E con quale criterio si accoppieranno uomini e donne?»

«I migliori con i migliori, i peggiori con i peggiori, e per non avere proteste da parte di questi ultimi, faremo finta di ricorrere a un ingegnoso sorteggio, così che per ogni accoppiamento sgradito l'unica colpevole sarà la sorte. Ripeto che anche le bugie possono essere lecite, se vengono dette per nobili scopi.»

«E i figli?»

«Quelli dei migliori verranno allevati in un nido d'infanzia dalle madri col seno più turgido, escogitando un sistema affinché nessuna possa riconoscere la propria creatura. Quelli dei peggiori, invece, verranno ospitati in un luogo segreto e celato alla vista.»[22]

«E con quali vantaggi?»

«Non riuscendo a identificare la prole, i custodi non potranno anteporre la famiglia allo stato e nessun giovane oserà mai colpire un anziano nel timore che si tratti del proprio genitore. Per quanto concerne la guerra, i giovani più dotati fisicamente verranno portati sul campo di battaglia perché possano assistere agli scontri. Monteranno cavalli veloci per mettersi in salvo in caso di sconfitta. Impareranno ad ammirare i soldati coraggiosi e a disprezzare i vigliacchi. Chi di loro combatterà dando prova di valore, verrà incoronato dai suoi stessi compagni e, per tutta la durata della spedizione, potrà far l'amore con chi vorrà, femmina o maschio che sia, e nessuno potrà rifiutarsi.» (449 c-468 c.)

Siamo arrivati più o meno a metà dialogo: fermiamoci un attimo e, prima di accusare Platone di apologia di nazismo, mettiamoci nei suoi panni.

[22] È già tanto che Platone non abbia consigliato di ammazzarli. Nell'antica Grecia i bambini, nei primi giorni di vita, correvano brutti rischi: a volte bastava una crisi di pianto perché si accusasse il neonato di scarsa virilità. Gli spartani eliminavano anche i più gracilini e gli ateniesi avevano l'abitudine di «esporre» i meno riusciti, nel senso che li deponevano sulla pubblica piazza a disposizione di chi li volesse allevare come schiavi.

La Grecia, a quei tempi, era una regione montuosa con tante piccole città, isolate l'una dall'altra e quasi sempre nemiche tra loro, al punto che l'essere invasi da uno straniero spesso voleva dire morte per i maschi adulti e schiavitù per donne e bambini. Sopravvivenza in Grecia significava alte mura cittadine, un'Acropoli ben situata e un esercito valido.

Appena ventenne, Platone assisté alla sconfitta di Atene a opera di Sparta. Il generale Lisandro, dopo aver distrutto l'esercito ateniese, fece abbattere le Lunghe Mura e, fatti fuori i democratici, mise al loro posto gli oligarchi che subito ne approfittarono per instaurare un regime di terrore. È naturale che in quel frangente il filosofo abbia avvertito un forte bisogno di ordine o, come lo chiamava lui, di «giustizia». Ebbene, il modello politico a cui ispirarsi non poteva essere che quello del vincitore. Il mitico Licurgo, l'inventore del comunismo spartano, gli sarà sembrato una specie di Mao Tse-tung da seguire con fiducia.

Ecco perché, dovendo progettare uno stato, Platone se lo immagina piccolo, attorniato da nemici e tutto raccolto intorno alla *pólis*. I suoi cittadini ideali li vede amanti della collettività e non del privato. Perciò, quando fissa le dimensioni territoriali della Repubblica, non esce dai confini del circondario di Atene. Mai, nella pur lunga trattazione, riesce a ipotizzare un impero di vaste proporzioni. D'altra parte Alessandro Magno non era ancora venuto a mostrare come un pollaio di tribù turbolente potesse diventare un unico popolo.

C'è poi un altro problema: dove situare uno stato ideale? Platone manifesta una certa diffidenza verso il mare. Nel dialogo *Leggi*[23] dice testualmente: «Il mare è una realtà piacevole da vivere giorno per giorno, ma alla lunga diven-

[23] Platone, *Leggi*, IV, 705 a.

ta una vicinanza amara e salata, giacché riempie la città di traffici e di piccoli affari, introducendo nei cittadini i germi dell'incostanza e della falsità». In altre parole, mentre l'agricoltore è un brav'uomo che produce solo quel tanto di cui ha bisogno, o al massimo quello che gli serve per fare dei baratti, il commerciante non fa altro che arraffare denaro. I prodotti della terra, in quanto facilmente deperibili, si oppongono all'accumulo, il denaro invece si presta a essere conservato e procura inappagamento e infelicità. E siccome a quell'epoca il commercio veniva praticato esclusivamente via mare, essendo l'Attica priva di strade confortevoli, una città marinara era anche un centro commerciale e come tale un luogo poco sereno.[24] Platone, nel suo progetto ideale, arriva a fissare perfino una distanza di sicurezza dal mare: quattordici chilometri e settecento metri;[25] non chiedetemi il perché.

Nella storia del pensiero occidentale, a causa del dialogo *Repubblica*, Platone ha avuto molti critici: primo fra tutti il filosofo austriaco Karl Popper che, associandolo a Hegel e a Marx, finisce col definirlo un nemico della libertà, o, come dice lui, della «società aperta». Popper in particolare accusa l'ateniese di essere l'ispiratore di tutti i totalitarismi e cita per esteso quei brani dove Platone si scaglia contro la democrazia.[26] Il difetto principale di Popper sta nel giudicare Platone con il senno di poi (cioè di oggi) e non con il senno del IV secolo avanti Cristo. In effetti Platone non era

[24] G.B. Klein, *Platone e il suo concetto politico del mare*, Lumachi, Firenze 1910, pag. 11 sgg.
[25] Platone, *Leggi*, IV, 704 b.
[26] A titolo d'esempio riportiamo una delle definizioni di democrazia attribuite a Platone nel libro di Popper, *La società aperta e i suoi nemici* (trad. it. Armando, Roma 1973): «La democrazia nasce quando i poveri, dopo aver riportato la vittoria, ammazzano alcuni avversari, altri ne esiliano, e si spartiscono con i rimanenti il governo e le cariche pubbliche».

né per la dittatura, né per la democrazia, ma giudicava migliore l'una o l'altra a seconda di chi si trovava sul ponte di comando; quando fa l'elenco dei regimi politici, in ordine d'importanza, ne cita sei e mette al primo posto il governo di un solo uomo (la *monarchia*, il filosofo-re, praticamente lui stesso, anche se non lo dice), poi quello dei pochi (l'*aristocrazia*) e infine quello dei molti (la *democrazia*): questo quando i governanti sono buoni. Se invece sono dei farabutti, capovolge la graduatoria e mette in testa il regime dei molti (la *demagogia*), al secondo posto quello dei pochi (l'*oligarchia*) e per ultimo la *tirannia*.[27]

Per le stesse ragioni per cui è criticato da alcuni, Platone è amato da altri. Spesso però si tratta di amore interessato, come quando si cerca di usare il suo prestigio per avallare una propria tesi reazionaria. In altre parole, poter dire «guarda che lo ha detto pure Platone!» fa sempre effetto. Una volta, durante i giorni burrascosi del '68, mi capitò di vedere in cornice, nello studio di un dirigente d'azienda, questa frase di Platone: «Quando un popolo, divorato dalla sete di libertà, si trova ad avere a capo dei coppieri che gliene versano a volontà, fino a ubriacarlo, accade che, se i governanti resistono alle richieste dei sempre più esigenti sudditi, son dichiarati tiranni. E avviene pure che chi si dimostra disciplinato nei confronti dei superiori è definito un uomo senza carattere e servo; che il padre impaurito finisce col trattare il figlio come suo pari e non è più rispettato, che il maestro non osa rimproverare gli scolari e costoro si fanno beffe di lui, che i giovani pretendono gli stessi diritti dei vecchi, e questi, per non parere troppo severi, danno ragione ai giovani. In questo clima di libertà, nel nome della medesima, non vi è più riguardo né rispetto per nessuno e in mezzo a tanta licenza nasce e si sviluppa

[27] Platone, *Politico*, 291 d.

una mala pianta: la tirannia».[28] Al termine della lettura il dirigente mi disse: «Ha visto, ingegnere? Anche Platone la pensava come noi! Sembra scritto oggi».

Post scriptum: il Socrate della *Repubblica* non ha niente a che vedere col Socrate di nostra conoscenza. A mio avviso la *Repubblica* è un'opera pochissimo socratica. In proposito si racconta che un giorno Platone si sia messo a leggere, in presenza di Socrate, uno dei suoi dialoghi e che alla fine il maestro abbia esclamato: «Ma tu guarda quante sciocchezze mi fa dire questo giovanotto!».[29]

Il Mito della caverna

«Il non essere non è», e su questo potremmo essere tutti d'accordo, il guaio però è che si vede.

Platone, volendo conciliare l'essere di Parmenide col divenire di Eraclito, per spiegarci che differenza c'è tra la realtà e l'apparenza, ovvero tra «l'uno, il puro e l'immutabile» e il «molteplice, l'impuro e il mutevole», ci racconta il Mito della caverna.

Immaginiamo una grande caverna e al suo interno alcuni uomini incatenati, fin da quando erano fanciulli, in modo tale da non poter volgere lo sguardo verso l'uscita, anzi, costretti a guardare continuamente la parete di fondo. Alle spalle di questi disgraziati, appena fuori dalla caverna, c'è una strada rialzata e lungo di essa un muretto, dietro al quale passano altri uomini che portano sulle spalle statue e oggetti di ogni forma e materia, «un po' come i burattinai

[28] Platone, *Repubblica*, VIII, 562 c.
[29] Il dialogo era *Liside*; cfr. Diogene Laerzio, *Vite dei filosofi*, III, 35.

che mostrano i burattini agli spettatori».[30] I portatori discutono vivacemente fra loro e l'eco della caverna ne deforma le voci. Dietro a tutti il Sole, o, se preferite, un grande fuoco a illuminare la scena.

Domanda: cosa penseranno gli uomini incatenati delle ombre che vedono passare lungo la parete e del vociare che sentono? Risposta: crederanno in buona fede che ombre e rumori siano l'unica realtà esistente.[31]

Supponiamo adesso che uno di loro riesca a liberarsi e che si volti indietro a guardare le statue. In un primo momento, accecato dalla luce, le vedrebbe in modo confuso e riterrebbe molto più nitide le ombre che vedeva prima. Poi però, uscito all'aperto, e abituatosi alla luce del Sole, si renderebbe conto che tutto quello che aveva visto fino a quel momento, altro non era che l'ombra degli oggetti sensibili. Immaginiamoci che cosa racconterebbe ai compagni una volta tornato dentro:

«Ragazzi, voi non sapete niente, ma qua fuori ci sono cose incredibili! Una luce che non vi dico, roba che non si può descrivere! Poi delle statue meravigliose, perfette, eccezionali, altro che quelle schifezze di ombre che vediamo noi dalla mattina alla sera!»

Ma non lo crederebbero: nel migliore dei casi lo prenderebbero in giro e se lui insistesse, vedi Socrate, potrebbe anche essere condannato a morte.[32]

Spiegazione semplificata del Mito della caverna. L'essere è il Sole, ovvero la *conoscenza*, il non essere sono le ombre, ovvero l'*apparenza*, in mezzo, tra il Sole e le ombre, c'è l'*opinione*, quello che pensiamo degli oggetti sensibili. La *conoscenza* differisce dall'*opinione* in quanto la prima vede

[30] Platone, *Repubblica*, 514 a. Il paragone, molto suggestivo, c'informa che le *guarrattelle* napoletane erano in voga anche nell'antica Grecia.
[31] *Ibid.*, 514 a-515 b.
[32] *Ibid.*, 515 c-517 a.

le cose come effettivamente sono, mentre la seconda le immagina in forma sbiadita e confusa, cioè intermedia tra l'essere e il non essere.

«Ma tutto questo a che serve?» potrebbe chiedere il cosiddetto uomo della strada. Serve a capire che nella vita esistono alcuni falsi obiettivi come il denaro, il potere e il successo, che sono solo le ombre di una realtà, ben più vera, posta al di là della portata dei nostri occhi. Noi questa realtà, per il momento, possiamo solo intuirla, dato che esiste una sorgente di luce (Dio) che ce la proietta. Ciò premesso, quando il filosofo viene a illuminarci, diamogli retta: lui è uno dei pochi che è riuscito a liberarsi dalle catene e a vedere in faccia la verità.

Uscire fuori dalla caverna, per Platone, è giungere alla conoscenza delle Idee immutabili. Un conto è apprezzare una persona bella, un altro è sapere che cosa sia veramente la bellezza. Anche ai filosofi non è facile raggiungere questo traguardo; per riuscirci devono percorrere un lungo cammino.

Il Mondo delle Idee

Il Mito della caverna introduce la Teoria delle Idee, che è nel medesimo tempo una teoria logica e metafisica. Se quando vedo una gallina, mi scappa di pensare «ecco una gallina» il ragionamento che faccio è di questo tipo: «L'animale che sto vedendo ha qualcosa in comune con tutte le galline, quindi deve essere una gallina». Se invece affermo che tutte le galline del mondo tendono a somigliare a una Gallina Ideale che è depositata in un Mondo Ultrasensibile, allora ho espresso un concetto metafisico. Nel frattempo la gallina, quella reale, continua a razzolare per i fatti suoi, del tutto ignara di essere la brutta copia dell'Idea di una

Gallina che, beata lei, non rischia di finire in pentola per essere mangiata.

Tra la teoria logica e quella metafisica c'è il gradino che distingue Platone dai filosofi precedenti. Mentre con la logica arriviamo solo al concetto di Universale, con la Teoria delle Idee diamo il benvenuto, per la prima volta nella storia della filosofia, a un Qualcosa che sta al di fuori dell'Universo. Tutti i presocratici, chi più chi meno, si erano preoccupati di cercare l'*arché*, il principio delle cose, e tutti avevano ipotizzato una causa fisica: acqua, aria, fuoco e via dicendo. Perfino Anassagora, inventore del *Noùs*, della Mente superiore, aveva pensato che questa Mente fosse una sostanza materiale, magari un po' più raffinata e impalpabile delle altre, ma pur sempre un che di fisico.[33] Platone invece inizia quella che i marinai greci chiamavano la «seconda navigazione», o navigazione a remi, dal momento che la prima, quella che sfruttava il vento delle cause naturali, non ce la faceva più a rispondere a certe domande.

Se prima con l'Idea della gallina in qualche modo me la sono cavata, con quella relativa a un'entità astratta le cose si complicano. Quando dico «Marina è bella» do solo un esempio di bellezza: innanzitutto perché Marina[34] non sempre lo è stata, anzi, io me la ricordo quando aveva dodici anni ed era bruttina, e poi perché non lo sarà più in vecchiaia, mentre invece l'Idea della bellezza, del Bello in sé, è un'entità immutabile che in questo momento si trova «dentro» Marina ma che è anche «dentro» al panorama di Rio de Janeiro, a una poesia di Montale e a una finta di Maradona. Marina la si può toccare (si fa per dire) ma la bellezza no.

[33] Cfr. L. De Crescenzo, *Storia della filosofia greca*, Mondadori, Milano 1983, vol. I, pag. 191.
[34] Marina è una ragazza che abita di fronte a casa mia.

Oggi, per noi, l'idea è un pensiero, un processo mentale, insomma un qualcosa che si forma nel nostro cervello; per Platone invece era un'entità esterna, tra tante, che può essere «vista»[35] solo con la mente.

Le idee, con la loro unicità, immutabilità ed eternità, erano per Platone una sicurezza a cui aggrapparsi, e di un po' di sicurezza i suoi contemporanei sentivano proprio il bisogno. La fine del V secolo era stata per gli ateniesi un periodo di grande instabilità politica e morale: i demagoghi e i sofisti avevano imperversato in lungo e in largo e nessuno sapeva più cosa fosse il «buono» e il «giusto»: tutto sembrava opinabile. Platone invece, con la sua Teoria delle Idee, mette un po' d'ordine in questa confusione etico-politica e fissa tre livelli di conoscenza:

1. la *scienza*, che rappresenta la perfetta comprensione dei concetti immutabili, quelli sui quali non si può scherzare, ovvero le Idee (l'essere);
2. l'*opinione*, che consente di avere sul mondo sensibile giudizi diversi (il divenire);
3. l'*ignoranza*, che è propria di chi vive alla giornata senza chiedersi il perché delle cose (il non essere).

Con questa suddivisione, Platone realizza un compromesso filosofico tra l'*essere* di Parmenide e il *divenire* di Eraclito. L'essere è costituito dalle Idee: è immutabile ed eterno perché anche le Idee sono immutabili ed eterne, anche se non è proprio l'Uno di Parmenide, giacché le Idee sono molte. Il divenire invece (che sta a metà strada tra l'essere e il non essere) è il mondo sensibile, quello di ogni giorno, che cambia continuamente e sul quale possiamo avere opinioni contrastanti, senza per questo venir meno ai sacri principi.

[35] Idea viene dal greco *idéa* o da *eídos*, in entrambi i casi la radice comune è *idêin*, che vuol dire «vedere».

Anche tra le Idee ci sono delle gerarchie: l'Idea più importante di tutte è il *Bene in sé*, poi vengono quelle dei *valori morali* (il bello, il giusto, l'amor patrio...), quindi quelle dei *concetti matematici* (la retta, il triangolo, il quattro, il grande, l'uguale...) e infine quelle delle *cose presenti in natura* (il cane, il tavolo, l'albero, la donna, l'uva, le pentole...). In un dialogo platonico, Parmenide ha cercato di mettere in difficoltà Socrate chiedendogli se esistevano anche le Idee delle cose negative, come ad esempio quelle della immondizia, della melma e dei pidocchi, e Socrate, non sapendo cosa rispondere, ne ha negato l'esistenza, al che Parmenide saggiamente ha potuto replicare: «Questo, o Socrate, perché sei giovane e la filosofia non ti ha ancora preso in pieno. Verrà un giorno in cui imparerai a non disprezzare nessuna cosa».[36]

A parte l'inconveniente delle Idee ripugnanti, esiste comunque il problema del rapporto tra i modelli perfetti (le Idee) e le loro copie difettose (gli oggetti sensibili). Se provo a disegnare a mano libera una circonferenza, di sicuro la farò maluccio, ma nessuno protesterà, anche perché, a fine disegno, avrò l'accortezza di dire: «Sia questa una circonferenza». Ma se è facile perdonare a un disegnatore mediocre, non sempre si può fare altrettanto con la natura quando mette in circolazione copie imperfette di uomini, di donne e di animali.

A questo punto Platone introduce il *Demiurgo*. Trattasi di una specie di Dio-artigiano, a metà strada tra le Idee e il mondo sensibile, che plasma la materia ispirandosi a esse: qualche volta ci riesce bene e qualche volta no. Il Demiurgo insomma è il creatore. Attenzione però, è un creatore che non ha niente a che vedere con Dio, come lo concepiamo noi, giacché si trova un gradino al di sotto delle Idee: mentre queste ultime non hanno alcun bisogno di lui per

[36] Platone, *Parmenide*, 130 e.

essere, il Demiurgo ha bisogno di Loro per costruire il mondo.[37] Il concetto di Dio, invece, tutt'al più potrebbe coincidere con l'Idea del *Bene in sé*, che trovandosi in cima alla gerarchia delle Idee, è anche la causa di tutte le altre.

L'Amore platonico

La maggior parte delle persone crede che l'amore platonico sia un rapporto sentimentale tra due persone che non vanno a letto insieme. In effetti le cose non stanno proprio in questi termini. Platone era convinto che l'amore avesse come fine ultimo la procreazione del «bello» e, per spiegarcelo come si deve, ha scritto uno dei maggiori capolavori della letteratura di tutti i tempi: il *Simposio*.

Simposio, detto alla buona, significa cena. Agatone, volendo festeggiare un premio appena vinto in una gara per poeti tragici, ha invitato a casa sua un gruppo di amici, tra cui Pausania, Fedro, Alcibiade, Aristofane e il medico Erissimaco. Anche Socrate avrebbe dovuto essere della partita, ma proprio mentre sta per entrare nella villa dove c'è la festa, si blocca per strada e resta assorto in chissà quali pensieri. Si farà vivo quando gli altri saranno arrivati alla frutta.

Il tema della serata è l'Amore. Erissimaco stabilisce che ognuno, a partire da destra, prenda la parola e faccia un elogio al dio. Il primo a parlare è Fedro e, a essere sinceri, il suo intervento non è molto interessante: il giovanotto si limita a dire che l'Amore è il più potente di tutti gli dei e a sostenere che colui che ama è sempre più felice di chi è amato, giacché è l'unico a essere posseduto dal dio. Più singolare l'intervento di Pausania.

[37] Platone, *Timeo*, 28 a.

«È mia impressione, o Fedro, che l'argomento non sia stato enunciato in modo corretto: tu parli dell'Amore come se ce ne fosse uno soltanto, laddove di Amori ce ne sono due: quello "celeste" di Afrodite Urania e quello "volgare" di Afrodite Pandemia. Gli uomini in genere praticano il secondo, corrono dietro alle donne, desiderano i loro corpi più che le loro anime, e, intenti come sono a raggiungere un così misero scopo, finiscono col prediligere le persone stupide. Al contrario il vero amatore, quello celeste, preferisce i maschi, ammirandone la natura più forte e l'intelligenza più viva. Purtroppo da noi la norma non è sempre chiara: in Elide, in Beozia e presso i lacedemoni, è onesto amare i maschi, nella Ionia e in tutti i paesi barbari, proprio perché vi governano i tiranni, la pederastia è considerata una pratica vergognosa. Ad Atene invece non si sa bene come stiano le cose: mentre a parole sono tutti permissivi, nei fatti i padri mettono i pedagoghi alle costole dei fanciulli più ambiti, vietano ai ragazzi d'intrattenersi con gli amanti, e inducono i loro coetanei a sorvegliarli e a fare le spie. Ora io penso che l'Amore in sé e per sé non sia una cosa né bella né brutta, ma che tutto dipenda dal modo come viene condotto: è morale se è fatto bene, è vergognoso se è fatto male.» (180 c-185 c.)

Dopo Pausania la parola toccherebbe al commediografo Aristofane, che però, avendo il singhiozzo, chiede a Erissimaco di sostituirlo o di guarirlo con un rimedio.

«Farò l'uno e l'altro» risponde il medico «parlerò al tuo posto e nel frattempo tu tratterrai il respiro per un po' di tempo, in modo da farti passare il singhiozzo. Sull'Amore ho anch'io un'opinione che ha a che vedere con il mio mestiere, la medicina. Pausania ha detto che ci sono due forme di Amore, io penso invece che ce ne siano moltissime: vedo l'Amore negli uomini, nelle donne, negli animali, nelle piante e in tutte le specie viventi. Dovunque esiste una contrapposizione di qualità, pieno-vuoto, caldo-freddo, amaro-dolce, secco-umido, io vedo l'Amore come un agente che interviene ad appianare i contrasti e a instaurare l'armonia. La medicina quindi è uno strumento dell'Amore e di questo bisogna essere riconoscenti ad Asclepio che ne è il fondatore. Quando l'Amore volgare spinge l'uomo a indulgere ai piaceri della tavola, l'Amore celeste, sotto forma di medicina, fissa il limite della giusta misura.» (185 d-188 d.)

Un sonoro starnuto di Aristofane interrompe il discorso di Erissimaco. Tutti si voltano verso di lui e il commediografo ne approfitta per iniziare il suo intervento.

«È davvero meraviglioso, o Erissimaco, che l'armonia in un corpo, e quindi l'Amore, si possa ottenere con un piccolo starnuto. Come vedi, il singhiozzo mi è subito passato dopo aver starnutito.»

«Il tuo difetto, o Aristofane, è quello di voler essere sempre spiritoso» risponde il medico. «Se continuerai a farlo, sarò costretto a montare la guardia al tuo discorso, per capire, ogni volta, quando parli sul serio e quando per scherzo.»

«Non dartene pensiero, o Erissimaco,» ribatte Aristofane «ciò che sto per dire non è spiritoso ma soltanto ridicolo. Per ben capire la forza dell'Amore, è necessario che tu sappia quali prove ha sofferto la natura dell'uomo. In origine l'umanità comprendeva tre sessi: gli uomini, le donne e certi strani esseri, chiamati androgini, che erano maschi e femmine nello stesso tempo. Tutti questi individui però erano doppi rispetto a noi altri: avevano quattro gambe, quattro braccia, quattro occhi e via dicendo; e ciascuno di essi aveva due organi genitali, tutti e due maschili negli uomini, tutti e due femminili nelle donne, e uno maschile e uno femminile negli androgini. Camminavano a quattro gambe, ma potevano procedere in ogni direzione, come i ragni. Avevano un caratteraccio tremendo: possedevano una forza sovrumana e una sovrumana superbia, al punto da sfidare gli Dei come se fossero loro pari. Giove, in particolare, era indignato per la tracotanza degli umani: per un verso non voleva ucciderli, per non perdersi i loro sacrifici, per l'altro doveva far qualcosa per fargli abbassare la cresta. Pensa e ripensa, un bel giorno decise di dividerli in due, in modo che ciascuna parte avesse due gambe e un solo organo genitale; e minacciò che, se avessero perseverato nell'empietà, li avrebbe divisi ancora in due in modo da costringerli a camminare a balzelloni su una gamba sola. Dopo l'operazione chirurgica, malgrado Apollo avesse provveduto a cicatrizzare le ferite, gli umani erano diventati infelici: ciascuno di essi sentiva la mancanza dell'altra metà: i semiuomini cercavano i semiuomini, le semidonne desideravano le semidonne, e la metà maschile degli androgini cercava disperatamente la metà femminile. Insomma, per ritrovare la felicità perduta, ognuno di loro smaniava di riunirsi con l'anima gemella. Ed è appunto questa bramosia che si chiama Amore.» (189 a-193 c.)

Dopo Aristofane, prende la parola Agatone. L'intervento del poeta è uno di quelli senza capo né coda, soprattutto nei contenuti. Secondo la moda dell'epoca, Agatone bada solo a impreziosire il discorso di fronzoli, iperboli e frasi a effetto, le stesse, probabilmente, che gli hanno fatto vincere le gare letterarie. Ciononostante, alla fine un lungo applauso lo premia come oratore. Agatone si alza in piedi a ringraziare. L'unico a scuotere il capo è Socrate.

«Lo sapevo che sarei stato messo in imbarazzo dalla bravura di Agatone!» esclama il filosofo. «Ascoltandolo, mi sembrava di udire i virtuosismi di Gorgia e poco c'è mancato che non me ne scappassi via per la vergogna. Nella mia ingenuità pensavo che ognuno di noi dovesse limitarsi a dire il vero e non fosse obbligato a fare l'apologia dell'Amore, senza curarsi minimamente delle falsità o meno delle tesi esposte. Non vi aspettate adesso da me un altro panegirico, se non altro perché non sarei capace di farlo. Posso solo provare a dire quello che credo sia la verità su questo argomento.»

«Che Agatone abbia parlato in modo sublime è vero,» ribatte Erissimaco «ma che tu sia in imbarazzo, o Socrate, non riesco a crederlo. Parla dunque e raccontaci la tua verità.»

«A istruirmi sulle cose d'Amore» riprende Socrate «fu una donna della Mantinea, si chiamava Diotima. Ella mi disse che Amore non era un dio, ma un dèmone, un qualcosa a metà strada tra un dio e un mortale, e che non era né bello, né brutto, né sapiente, né ignorante.»

«A me sembra che tu stia bestemmiando!» esclama Agatone. «Come fai a dire che Amore non è un dio!»

«Così disse Diotima» si scusa Socrate. Poi continua: «Pare che il giorno in cui nacque Afrodite gli dei abbiano tenuto un grande banchetto sull'Olimpo e che fra gli altri invitati ci fosse anche Poro, il dio degli espedienti, o dell'arte di arrangiarsi. A questa festa successero molte cose: arrivò Penìa, la Povertà, ma non fu fatta entrare per come era vestita, e lei, poverina, rimase fuori dalla sala del banchetto nella speranza di rimediare qualcosa. Poro esagerò nel bere: a un certo punto, completamente sbronzo, uscì all'aperto e, fatti due passi, crollò al suolo. Al che Penìa, vedendoselo davanti, lungo disteso, pensò bene di approfittarne. "Io sono la dea più povera dell'Olimpo, qui c'è Poro, il più furbo di tutti gli dei: chissà che, accoppiandomi con lui, non possa migliorare la mia sorte!" E dall'unione della Povertà con l'Espediente nacque l'Amore».

Un lungo mormorio accompagna le ultime parole del filosofo. L'uditorio si fa ancora più attento, per cercare di saperne di più su questo Amore così speciale.

«Amore non è né bello, né delicato, come pensano molti, ma al contrario, "a somiglianza della madre, è duro, scalzo, peregrino, uso a dormire nudo e sulla nuda terra, sulle soglie delle case e per le strade, abituato a trascorrere le notti all'addiaccio e con la miseria sempre in casa. Per contro, da parte del padre, è anche insidiatore dei belli e dei nobili, coraggioso, audace, risoluto, cacciatore tremendo, sempre pronto a escogitare trucchi di ogni tipo, curiosissimo d'intendere, ricco di trappole, intento tutta la vita a filosofare, terribile ciurmatore, stregone e sofista".»[38]

«Come è possibile, o Socrate, che Amore non sia bello?» chiede Fedro stupito.

«Tu stesso l'hai detto, o Fedro. Amore è chi ama, non chi è amato. Solo chi è amato ha bisogno della bellezza, non chi s'innamora, e siccome il Bello può identificarsi col Bene, chi vuole il Bello desidera anche il Bene, e potrà essere felice solo quando lo avrà trovato. Scopo dell'Amore è la procreazione del Bello.» (198 b-206 a.)

«Vuoi dire,» chiede Fedro «che desiderando il Bello, lo si può anche generare?»

«Il Bello e il Bene!» risponde Socrate infervorandosi. «Tutti gli uomini sono pregni nel corpo e nell'anima e desiderano diventare immortali. Come riuscirci? È semplice dirlo: partorendo il Bello e il Bene. Ognuno fa di tutto per assicurarsi l'immortalità: c'è chi la cerca attraverso la gloria, chi s'illude di ottenerla accoppiandosi alle donne più belle e chi, fecondo nell'anima, lascia traccia di sé nelle opere dell'ingegno. È questa la giusta strada: cominciare dalle bellezze del corpo per poi elevarsi, un gradino alla volta, fino a raggiungere l'assoluto.» (206 c-211 c.)

Detto in parole povere, l'Amore per Platone è una specie di ascensore che al primo piano trova l'amore fisico, al

[38] Già in altra occasione (*Oi Dialogoi*, Mondadori, Milano 1985, pag. 111) ebbi a rilevare come questa descrizione di Socrate sembri fatta su misura per lo scugnizzo napoletano, secondo l'oleografia corrente.

secondo quello spirituale, al terzo l'arte e poi, via via, la giustizia, la scienza e la vera conoscenza, fino ad arrivare al piano attico dove risiede il Bene.

Le interpretazioni del *Simposio* sono innumerevoli, alcune così fantasiose che ci si chiede come avrà fatto lo studioso a ricavare dal racconto di Diotima tanti messaggi filosofici. Da quanto ricordo però, non mi sembra che nessuno, tranne forse Enzo Paci, abbia sufficientemente messo in luce i genitori di Amore: Poro e Penìa. Perché proprio l'Espediente e la Povertà? Forse perché l'uomo, quando è povero, ha più bisogno dei suoi simili? O forse perché nel suo caso, l'arte di arrangiarsi e lo spirito di sopravvivenza gli consigliano d'instaurare col prossimo un rapporto d'amore? D'altra parte i grandi profeti hanno sempre stabilito un nesso fra la Povertà e l'Amore. Il ricco del Vangelo, quello del cammello e della cruna dell'ago, è solo uno dei tanti esempi possibili. La ricchezza porta all'egoismo ed è abbastanza facile riscontrare come, nelle città più ricche ed evolute, siano diventati freddi e difficili i rapporti tra le persone.

L'immortalità dell'anima

Platone fornisce tre prove dell'immortalità dell'anima. Io adesso proverò a descriverle nel modo più semplice possibile, poi, ognuno le giudichi come crede.

Prima prova. Nel mondo esistono le realtà visibili e quelle invisibili. È logico pensare che le prime sono più affini al corpo (che è visibile) e le seconde più all'anima (che è invisibile) e dal momento che il visibile si corrompe e muore, mentre l'invisibile è immutabile ed eterno, anche l'anima sarà immutabile ed eterna.[39]

[39] Platone, *Fedone*, 79 a-e.

Seconda prova. I contrari non possono coesistere nella stessa cosa. Se un corpo è caldo, è perché gli è entrata dentro l'Idea del Caldo, se si raffredda è perché l'Idea del Freddo ha sostituito l'Idea del Caldo. Un essere vive perché possiede un'Anima, se muore vuol dire che l'Idea della Morte ha cacciato l'Idea della Vita, ovvero l'Anima.[40]

Terza prova. Gli eristici un giorno dichiararono che era impossibile attuare la ricerca della conoscenza. Due sono i casi, dicevano, se uno non conosce la conoscenza, non si vede come, trovandola, la possa riconoscere, e se invece già la conosce, non si capisce perché dovrebbe cercarla. Platone rispose che l'uomo, quando trova la conoscenza, la riconosce perché essa è già dentro l'Anima. In altre parole la conoscenza sarebbe un'*anamnesi*, ovvero una forma di ricordo, un riemergere di cose che abbiamo appreso in vite precedenti.[41]

Ma come se la immagina l'anima Platone? Nel *Fedro* egli la paragona a un auriga che guida un carro con due cavalli focosi, uno dei quali è nobile e di ottima razza e l'altro un broccaccio di infimo ordine.[42] L'auriga, se fosse per lui, porterebbe i due cavalli quanto più in alto possibile: li farebbe pascolare nella Pianura della Verità insieme ai cavalli degli Dei. Non sempre però la cosa gli riesce: a volte il broccaccio punta verso il basso e il cavallo buono non ce la fa a mantenere l'assetto di volo. A questo punto l'Anima, per evitare cadute rovinose, si attacca al primo corpo che trova e gli dà vita. Il corpo quindi viene visto da Platone come un alloggio temporaneo dell'anima. A ogni morte l'anima cambia casa e, a seconda che uno dei due cavalli

[40] *Ibid.*, 105 b-d.
[41] Platone, *Menone*, 80 d-81 d.
[42] Platone, *Fedro*, 246 a-248 e.

abbia preso o no il sopravvento sull'altro, sale o scende nella gerarchia delle vite. Ecco qui di seguito, per la curiosità del lettore, l'elenco delle vite citate da Platone in ordine di importanza:

1 – *amante della sapienza e del bello*
2 – *re rispettoso della Legge*
3 – *uomo di stato o esperto in affari e finanze*
4 – *atleta o medico*
5 – *indovino*
6 – *poeta o artista*
7 – *operaio o contadino*
8 – *sofista o demagogo*
9 – *tiranno*.

Nel *Timeo* il femminista Platone (lo stesso che nella *Repubblica*[43] affermava la parità fra uomini e donne) dichiara che: «...se l'anima fallisce come uomo, trapassa in una natura di donna, e se neppure in quest'ultima vita riesce a non essere malvagia, si muta in un animale ferino».[44]

Un altro esempio di come un'anima possa scegliersi un tipo di vita, Platone ce lo offre nell'ultimo libro della *Repubblica*: si tratta del celebre mito di Er.[45]

Er è un soldato che viene ferito in battaglia. Pensando che sia morto, gli Dei lo portano nell'aldilà e lo fanno assistere, suo malgrado, a una specie di giudizio universale. A un certo punto si chiarisce l'equivoco, ma i giudici gli consentono di restare, a patto che poi riferisca ai mortali tutto quello che ha visto.

[43] A voler essere precisi, Platone non si chiede se gli uomini e le donne siano o no uguali, ma solo se a noi convenga che lo siano, in modo da farle lavorare per lo stato. Cfr. *Repubblica*, 451 d.
[44] Platone, *Timeo*, 42 b-d.
[45] Platone, *Repubblica*, X, 614 d-620 d.

Ed ecco il suo racconto:

«Insieme alle anime dei miei compagni arrivai in un luogo meraviglioso dove vidi quattro voragini: due rivolte verso il centro della terra e due che perforavano il cielo. In mezzo, seduti su altissimi scanni, alcuni giudici giudicavano le anime e, a seconda che queste appartenessero a uomini giusti o ingiusti, le spedivano agli inferi o verso il cielo. Sia le pene che i premi erano decuplicati rispetto alle malvagità e alle buone azioni commesse nel corso della vita. Nel frattempo dalle altre due voragini uscivano a frotte le anime di individui, morti in tempi remoti, che avevano già scontato le pene o goduto i premi. Alcune di esse facevano sinceramente pena, tanto erano lacere e sozze, altre invece apparivano allegre e sorridenti. Incontrandosi, sia le une che le altre si scambiavano saluti calorosi e si raccontavano quanto avevano gioito o sofferto. Poi, tutti insieme, iniziammo un lungo viaggio e ci trasferimmo in un altro luogo dove, proprio al centro di una radura, erano sedute le tre Moire: Làchesi, Cloto e Atropo. Su tutte le anime furono lanciati sassi contenenti i segni di una vita futura. Ce ne erano di ogni genere: vite di artisti, di animali, di scienziati, di atleti, di donne, di schiavi e così via. Ogni individuo, appena veniva estratto dalla sorte, si guardava intorno e sceglieva tra i sassi più vicini quella vita che più delle altre gli sembrava desiderabile. Vidi un'anima prendere con avidità il ruolo di un tiranno, senza badare alle amarezze che quel destino gli avrebbe procurato, un'altra arraffare la vita di un ricco che non aveva nessun amico. Vidi Aiace Telamonio scegliere l'esistenza di un leone,[46] Tamiri quella di un usignolo,[47]

[46] Aiace, in vita, era stato candidato a ereditare le armi di Achille, ma all'ultimo momento gli era stato preferito Ulisse: a quanto pare il giudizio lo aveva profondamente offeso e adesso smaniava di rifarsi. (Cfr. Omero, *Odissea*, XI, 543-65.)
[47] Tamiri era un cantore di corte: sfidò le Muse e per punizione gli fu tolta la vista, la voce e la memoria. (Cfr. R. Graves, *I miti greci*, trad. it. Longanesi, Milano 1963, 21 *m*, pag. 96.)

Agamennone quella di un'aquila.[48] Vidi Atalanta prendere al volo le vittorie di un atleta olimpico,[49] e infine Ulisse, ultimo nel sorteggio, raccogliere sul terreno un sasso trascurato da tutti: era la vita di un uomo qualsiasi, senza grandi emozioni, e fu proprio lui a vivere felice e contento.»

Il mito si conclude con tutte le anime che, prima di tornare sulla terra, vengono obbligate, a eccezione di Er, a bere un pochino di acqua dal fiume Lete, in modo da dimenticare le esperienze vissute nelle vite precedenti.

I platonici minori

A parte Aristotele, i successori di Platone non lasciarono un grande ricordo di sé. Morto il maestro, il primo a sostituirlo alla guida dell'Accademia fu il nipote Speusippo.

Figlio di Eurimedonte e della sorella Potone, Speusippo non aveva niente in comune con lo zio: di carattere irascibile (una volta buttò il suo cagnolino in un pozzo solo perché lo aveva disturbato durante le lezioni), era più versato nei piaceri della vita che non in quelli dell'insegnamento. Finì paralitico su un carrello, trasportato su e giù per l'Accademia dai discepoli. Lasciò commentari per un totale di 42.475 righe (?), di cui pochissime quelle giunte fino a noi.[50]

A Speusippo successe Senocrate, un brav'uomo nato a Calcedonia, una cittadina sulla costa asiatica del Bosforo, proprio di fronte a Bisanzio. Senocrate conobbe Platone

[48] Agamennone, evidentemente, preferiva vivere il più lontano possibile dagli uomini, essendo stato ucciso, nella vita precedente, dalla moglie Clitennestra e dal nipote Egisto. (Cfr. R. Graves, *op. cit.*, 112 *k*, pag. 518.)
[49] Atalanta, malgrado fosse l'individuo più veloce del mondo, perse contro Melanione per essersi fermata a raccogliere tre mele d'oro. (Cfr. R. Graves, *op. cit.*, 80 *k*, pag. 330.)
[50] Diogene Laerzio, *Vite dei filosofi*, IV, I, 5.

quand'era ancora un ragazzo e gli stette dietro per tutta la vita; lo accompagnò perfino in Sicilia. Forse per questo venne eletto anche lui direttore dell'Accademia, non certo per l'ingegno e l'apertura mentale. Platone stesso ne conosceva i limiti. Una volta parlando di lui e di Aristotele, osservò: «L'uno ha bisogno di sprone, l'altro di freno».[51] In compenso aveva un aspetto austero da vecchio saggio. Quando scendeva in città tutti gli cedevano il passo e anche i più cialtroni si azzittivano. Ispirava una tale fiducia che fu l'unico ateniese a testimoniare senza essere costretto a prestare giuramento. Con le donne... come dire... era un po' tiepidino. Una notte la bellissima Frine, con la scusa di essere inseguita, riparò in casa sua e dormì nel suo stesso letto. Lui non se ne accorse nemmeno e restò impassibile, e l'indomani l'etèra andò in giro dicendo di aver dormito con una statua.[52]

Morì a ottantadue anni cadendo di notte in una tinozza di acqua piovana.

[51] *Ibid.*, IV, II, 6.
[52] *Ibid.*, IV, II, 7.

V
Alfonso Carotenuto

«Ingegné, il vizio maggiore degli italiani è la superficialità! Osservate per cortesia il comportamento di un cliente qualsiasi e poi ditemi se non ho ragione: in genere, chi sta per comprarsi un paio di scarpe si ferma davanti alla vetrina, guarda la merce esposta, sembra immobile, ha lo sguardo assente, quasi disinteressato; poi, quando meno ve l'aspettate, entra nel negozio e dice: "Voglio quelle lì, ho il 42". Se le prova, paga e se ne va. E questo me lo chiamate comprare le scarpe? Allora io qua dentro che ci sto a fare? Tanto valeva metterci un distributore automatico!»

A sfogarsi è Alfonso Carotenuto, cavaliere del Lavoro, commerciante in calzature e titolare della premiata ditta «Carotenuto e figli» fondata nel 1896, già fornitrice di Casa Reale. Siamo nel negozio di via Toledo. Donn'Alfonso è praticamente incastrato in una poltroncina di vimini che ha i bracciuoli troppo ravvicinati per poterlo contenere. Malgrado il caldo e la stagione avanzata, è ancora in giacca e cravatta, come si conviene a uno che ha una tradizione da difendere: si è solo allentato un pochino il collo della camicia. Il locale è deserto: sono le nove di mattina. Un commesso occhialuto, in camice nero, lo guarda con aria rassegnata: evidentemente ha già sentito altre volte «l'apologia della scarpa».

«Io certe volte vorrei chiedere alla gente per strada: "Scusate, ma perché andate così in fretta?".»

«Forse perché sono giovani» azzardo, tanto per rispondere in qualche modo alla sua domanda.

«Ma siamo sicuri che sono giovani?» chiede ancora donn'Alfonso.

«In che senso, scusi?»

«Ingegné, ditemi la verità: avete mai visto ballare i giovani d'oggi? Io lo so perché ho due figli: il più grande ha ventidue anni e la ragazza diciotto. Qualche volta invitano gli amici a casa, loro dicono "a fare quattro salti", ebbè, mi dovete credere: li ho visti ballare tante volte, ma non li ho mai visti saltare. Dico io: ma me lo chiamano ballo quello là? Tutti con una faccia appesa, come se avessero passato chissà quale guaio! E poi: un'aria di sofferenza, una tristezza che non vi dico, ognuno che balla per conto suo senza guardare in faccia la persona che gli sta di fronte. Dice che così si balla il rock duro. *Ma faciteme 'o piacere*! La nostra generazione era tutta un'altra cosa! Il valzer, il cha cha cha, il charleston, i cotillons! Ve li ricordate i cotillons? *Changez la femme*? Adesso non si fanno più. All'epoca nostra con i cotillons ci facevamo un sacco di risate! Ma io ho una teoria, una teoria che spiega tutta la tristezza della gioventù moderna: noi siamo nati in casa, nella stanza da letto di papà e mammà, tra mura amiche, questi invece sono nati in clinica. Ingegné: *questa è gente d'ospedale*! Il massimo che hanno visto, appena sono nati, è stata la faccia di un dottore o un flacone di plasma per una trasfusione di emergenza.»

«Ma le scarpe...» dico io per ricondurlo al tema.

«Le scarpe!» sospira il cavaliere. «Oggi nessuno sa che cosa significhi questa parola. Una volta invece era un biglietto da visita, un traguardo sociale! Quando arrivava un cliente al laboratorio di papà in via Alabardieri, mio padre e

Oscarino, il primo assistente, lo ricevevano come se fosse stato il Principe di Savoia: gli offrivano il caffè e lo intrattenevano a parlare. Nel frattempo il piede aveva tutto il tempo per rasserenarsi e diventare normale. Poi iniziavano le misure. Veniva messo a nudo prima il piede destro. Papà lo guardava con attenzione da tutti i lati e lo poggiava su una tavoletta di noce per vedere se la pianta aderiva in tutta la sua lunghezza o s'incurvava a metà. Se il piede era perfetto, il cliente riceveva i complimenti di papà e di Oscarino; qualche volta venivano chiamati anche i ragazzi dal laboratorio. Intanto si preparava il gesso per il calco...»

«Ho capito,» concludo io per frenarlo «facevate il calco del piede, così il cliente non era più costretto a tornare per la misura.»

«Nossignore, non avete capito:» ribatte donn'Alfonso, alquanto infastidito di essere stato interrotto «quello del calco era solo il primo approccio, uno dei tanti gradini necessari al raggiungimento dell'obiettivo finale: "la scarpa perfetta".»

«Ma io non volevo sminuire il lavoro di suo padre,» dico io «cercavo solo di riassumere quanto stava dicendo, per capire in cosa differisse la scarpa su misura di quei tempi da quella che fa oggi un qualsiasi artigiano.»

«È proprio strano, ingegné: non siete giovane, eppure vi comportate come se foste giovane: anche voi andate di fretta» commenta il cavaliere, guardandomi con un pizzico di diffidenza.

«Non è vero, sono tutto orecchi.»

«Per farvi capire come stanno le cose» riprende donn'Alfonso, allentandosi il collo della camicia e infilandoci in mezzo, tra nuca e colletto, un fazzoletto bianco di *piqué*, «la vera ragione sociale della ditta Carotenuto non era vendere scarpe, o perlomeno non era solo questo, ma raggiungere

la perfezione assoluta a cui può arrivare una scarpa costruita da un uomo.»

«“La scarpità”?»

«Proprio così: “la scarpità”, questa è la parola! Ma procediamo con ordine: se all’epoca voi foste stato cliente di mio padre, avreste tenuto il De Crescenzo destro e il De Crescenzo sinistro depositati presso la ditta “Carotenuto e figli”.»

«Così avevate i calchi di tutti i vostri clienti?»

«I piedi di tutta la nobiltà e dei migliori professionisti di Napoli.»

«E ora non le fa più le scarpe su misura?»

«Raramente: adesso non ci sono più gli amatori. Pensate che una volta il cliente, quando veniva per la prima visita, portava sempre un paio di scarpe usate, per farle vedere a papà.»

«Un paio di scarpe usate?»

«Sì, per far vedere come si erano consumate.»

«Ma perché le scarpe non si consumano tutte nello stesso modo?»

«Per l’amor di Dio, ingegné, non bestemmiate: ognuno di noi ha un suo modo di consumare le scarpe. Fate il passo troppo lungo? Consumerete prima la parte posteriore del tacco. Fate il passo troppo corto? Dopo un po’ non avrete più una suola sotto i piedi, ma un osso di seppia. Avete le gambe arcuate, noi diciamo alla “cavallerizza”? Si assottiglieranno prima i bordi esterni. Papà, quando un cliente usciva dal laboratorio, lo seguiva con lo sguardo fino a che non scompariva da via Alabardieri, solo per studiare l’andatura. Una volta calcolato il consumo, consegnava un paio di scarpe di prova, di capretto o di vitellone, che il cliente era obbligato a portare per almeno un mese, e solo in un secondo momento, se tutto era andato bene, preparava la scarpa finale, quella definitiva. Ma credetemi: quando vi facevate

una passeggiata con le nostre scarpe, la cosa non passava inosservata. Anche dal marciapiede di fronte la gente se ne accorgeva. Tutti dicevano: "Quelle debbono essere delle Carotenuto!".»

«Insomma, suo padre ci metteva l'anima.»

«Lo avete detto: certe volte si faceva delle litigate con i clienti che non vi dico!»

«E perché?»

«Con il conte Del Balzo, per esempio. Voi dovete sapere che il conte Emanuele non sopportava le scarpe nuove; allora che faceva? Si chiamava uno dei suoi camerieri, un certo Antonio, che teneva lo stesso numero di piede, e gli faceva portare le scarpe nuove per una decina di giorni. Figuratevi papà: tutti i suoi calcoli andati in fumo!»

«Cavalié, ma lei è sicuro che sia tanto importante avere un paio di scarpe belle?»

«Ingegné, io non ho capito se volete prendermi in giro...»

«Non mi permetterei mai.»

«...o se v'interessa sul serio l'arte della calzatura. Spero per voi nella seconda ipotesi. Ora, per spiegarvi come sono fatto, debbo premettere una cosa. La vita è tutta in questa formula: metà amore e metà lavoro. E quando dico lavoro, non penso a una fatica, a un supplizio che uno deve sopportare dalla mattina alla sera per rendersi indipendente dal punto di vista economico, ma a un'opportunità che Dio ci ha offerto per dare più senso alla nostra esistenza. Pure il tabaccaio, l'impiegato di banca e il metalmeccanico, se amano il proprio lavoro, si troveranno contenti. Altrimenti sono perduti: hanno voglia a chiedere riduzioni di orario! Anche sei ore, se fatte controvoglia, non finiscono mai. Però, ricordatevi quello che vi dico: una cosa è "fare" il tabaccaio, e una cosa è "essere" tabaccaio. Papà, fin da quando ero ragazzo, mi ha insegnato a capire le scarpe. Si metteva con

me fuori del negozio e mi obbligava a guardare i piedi di tutti quelli che passavano. "*Peccerì*," mi diceva, "queste sono buone, quelle no. Qua la mascherina è corta, qua il collo tira e la scarpa s'imbarca, queste sono una schifezza. Ecco una bella scarpa! Questa non è male. Quelle sono roba di blocco." E così, piano piano, io mi sono fatto un'idea di come doveva essere fatta una scarpa. Ora, quando entra un cliente, io già lo vedo con le scarpe Carotenuto ai piedi e sono felice quando riesco a trovare il paio fatto apposta per lui. Ma veniamo alla domanda che mi avete fatto prima: è così importante avere delle belle scarpe? Sì, vi assicuro che è molto importante. Quando la sera andate a dormire, se prima di prendere sonno date uno sguardo alle scarpe che vi siete appena tolto, voi vi accorgerete che un bel paio di scarpe perfette, classiche, snelle, inalterabili, pulite, comunica un senso di sicurezza. Fedeli testimoni della vostra giornata, esse vi hanno tenuto compagnia. Oggi però non ci bada più nessuno. Il cliente entra e dice: "Voglio quelle lì, ho il 42", se le prova, paga e se ne va.»

VI
Aristotele

Premessa

Aristotele era un professore, e come molti professori era un po' pedante: inoltre, filosoficamente parlando, era anche una persona ordinata, e quindi potrebbe risultare noioso. Non era né simpatico come Socrate, né scrittore come Platone. Io ho fatto l'impossibile per renderlo piacevole e lui, forse, proprio per questo, si rivolterà nella tomba; voi però non arrendetevi alle prime difficoltà: fate almeno un piccolo sforzo per capirlo. Se poi lo trovaste ugualmente troppo arduo, che volete che vi dica: saltatelo a piè pari e andate avanti. Io vi perdono. Sappiate però che, non conoscendo la sua filosofia, nella vita vi mancherà qualcosa: se non altro la pazienza di ascoltare.

La vita

Aristotele nacque nel 384 a Stagira,[1] un piccolo paese della Macedonia orientale situato un po' più a nord del monte Athos. Ciononostante non possiamo considerarlo un macedone, dal momento che la sua città natale era una colonia greca fondata molti anni prima da un gruppo di isolani provenienti da Andro. Tanto per fare un esempio, il dialetto

[1] La vita di Aristotele è ampiamente raccontata da Diogene Laerzio, *Vite dei filosofi*, v, I, 35.

che avrà parlato da ragazzo sarà stato quello ionico, lo stesso cioè usato da quasi tutte le popolazioni dell'Egeo.

Il papà, il dottor Nicomaco, era il medico personale di Aminta II, re della Macedonia. Aristotele ebbe modo quindi di frequentare Pella, la capitale del regno, e di stringere amicizia con Filippo, futuro re e futuro padre di Alessandro Magno. Anche se considerati «barbari» dagli ateniesi, i macedoni erano pur sempre membri di una corte reale e questa circostanza, unitamente al mestiere del padre, deve aver contribuito in qualche modo alle sue scelte culturali. Divenuto orfano, quando ancora era un ragazzo, venne affidato a un cugino, un certo Prosseno, che se lo portò in Asia ad Atarneo, un villaggio sulle coste della Lidia. A soli diciassette anni lo ritroviamo ad Atene, studente della Accademia, la più prestigiosa di tutte le scuole greche. Era il 367, Platone stava ancora in Sicilia, e al suo posto era diventato scolarca Eudosso di Cnido, un grande matematico e astronomo, più esperto di fisica che non di filosofia. La cosa però non dovette dispiacere ad Aristotele che fin da piccolo era interessato alle scienze naturali, al punto da collezionare farfalle, bacarozzi, pietre e piante esotiche.

Aristotele restò in Accademia per venti anni, prima come allievo, poi come insegnante di ruolo. A sentire gli storici, fu il più devoto e il più critico dei discepoli di Platone.

Alla morte del maestro, un po' tutti speravano di prendere il suo posto: oltre ad Aristotele, contavano sulla nomina a scolarca Senocrate, Filippo di Opunte, Erasto, Corisco ed Eraclide Pontico. Il prescelto invece fu, come sappiamo, il nipote Speusippo, e questo finì con lo scontentare i più qualificati. Aristotele e Senocrate emigrarono ad Atarneo, il paesino dove lo stagirita era stato quando era ancora sotto tutela. Qui nel frattempo era diventato tiranno un eunuco, un certo Ermia, che salutò con simpatia l'arrivo dei due filosofi. Aristotele si imparentò subito con lui sposandone la sorella, Pizia, della quale pare fosse perdutamente innamorato. Lo so che è difficile immaginarsi Aristotele innamorato (sembrerebbe quasi una contraddizione in termini), ma, come dice Callimaco, «anche i carboni, quando sono accesi, brillano come stelle». A parte l'amore, comunque, Aristotele continuò a dedicarsi all'insegnamento: fondò una seconda scuola ad Asso e, tre anni dopo, un'altra a Mitilene insieme a Teofrasto.

Fatto prigioniero Ermia dai persiani, Aristotele fu richiamato in Macedonia da Filippo perché facesse da educatore al figlio Alessandro, non ancora Magno e non ancora quattordicenne. «È pur sempre il figlio del medico di papà,» deve aver pensato il re, «e l'esperienza acquisita ad Atene potrebbe esserci utile. Un po' di istruzione al ragazzo non dovrebbe fargli male, se non altro per compensare la sua voglia di menare le mani.» Come salario, Aristotele pretese la ricostruzione di Stagira che, tra una cosa e l'altra, era stata rasa al suolo dalle truppe macedoni.

Quando nella Storia s'incontrano due vip come Aristotele e Alessandro, si spera sempre in qualche detto memorabile; purtroppo invece non c'è niente da raccontare. Con ogni probabilità, Alessandro era solo un ragazzo come tanti, svogliato e irrequieto, e Aristotele un maestro che si rammaricava di non poterlo prendere a bacchettate come avrebbe voluto. Dopo otto anni di convivenza, ci si chiede se le conquiste di Alessandro abbiano influito in qualche modo sul pensiero aristotelico, o se, viceversa, la teoria del «giusto mezzo» sia servita a frenare l'ardore del condottiero. Stando ai risultati, sembrerebbe di no. Unici fatti concreti: un trattato sul Cosmo, scritto da Aristotele *ad usum Alexandri*, e uno zoo messo in piedi dal filosofo con l'aiuto dell'allievo, che gli spediva animali e piantine esotiche da ogni parte del mondo.

Nel 340 Alessandro passò dal ruolo di studente a quello di re e Aristotele ne approfittò subito per tornare ad Atene da ex maestro dell'uomo più potente del mondo. Intanto l'Accademia era passata sotto la guida di Senocrate che, anche se amico di Aristotele, non godeva certo della sua stima; ragione per cui il filosofo decise di aprirsi una scuola per proprio conto. Mise gli occhi su un edificio pubblico, detto il Liceo per la vicinanza a un tempietto dedicato ad Apollo Licio, e in breve tempo superò in prestigio l'Accademia. La sua scuola, in seguito, fu anche chiamata «peripatetica» grazie all'abitudine che aveva d'insegnare passeggiando.[2]

Il Liceo era molto diverso dall'Accademia; diciamo che era più simile a un'università delle nostre, con varie discipline, orari di lezioni e corsi specializzati. L'Accademia, invece, aveva un che di liturgico, con riti sacri dedicati alle Muse e con l'obiettivo politico, nemmeno tanto nascosto, di formare i futuri governanti di Atene. Al Liceo insegnarono illustri luminari, tra i quali il già nominato Teofrasto di Ereso, Eudemo di Rodi e Stratone. I libri di testo venivano redatti da Aristotele in persona: oggi queste lezioni sono note come scritti *esoterici*, per distinguerli da quelli *essoterici*, dedicati al popolo e di più semplice interpretazione. Per nostra grande sfortuna, sono andati persi tutti i testi facili e si sono salvati solo quelli difficili.

In tutto questo, Aristotele, essendogli morta la moglie, si era unito alla governante di casa, la giovane Erpillide, dalla quale ebbe il suo primo figlio maschio, Nicomaco.

Nel 323 morì Alessandro e contemporaneamente Atene si sollevò contro i macedoni e contro tutti quelli che li avevano appoggiati. Aristotele, che non era Socrate, alla solita accusa di empietà rispose con la fuga e ritornò nei possedimenti materni in Calcide. Non fece in tempo ad ambientarsi che morì di una malattia di stomaco a sessantatré anni.

[2] In greco *perípatos* vuol dire passeggio.

Per un paio di millenni tutto quello che aveva detto fu considerato un dogma indiscutibile, il che non favorì certo il progresso dell'umanità. Sarebbe pazzesco però considerare Aristotele responsabile di questo culto riservatogli dai posteri.

Aristotele e la sistemazione del sapere

Nell'84, mentre giravo il film *Così parlò Bellavista*, mi capitò di visitare il deposito di Armi e arredamenti cinematografici di Rancati. A guardarlo dall'esterno, sembrava un edificio inglese fine Ottocento, degno di ospitare un delitto alla Edgar Wallace. Due piani con mura di mattoni e tetti spioventi: un caseggiato più adatto alla periferia di Londra che non alle rive del Tevere. Dentro invece c'era il più gigantesco bazar che si potesse immaginare. In pratica, in poco più di un migliaio di metri quadri, ho rivisto cinquant'anni di cinema italiano: la corazza di *Ettore Fieramosca*, il sarcofago di *Tutankhamon*, la biga di *Ben Hur*, la frusta di Fellini *8 1/2*, la draghinassa della *Cena delle beffe*, la motocicletta del *Federale*, il contrabbasso con le tette di *Totò all'inferno*, e poi, accatastati alla rinfusa, un centinaio di caffettiere napoletane, zaini garibaldini, statue greche, telefoni bianchi, bazouka, capitelli corinzi, velocipedi, armi medievali, triclini romani e mobili napoleonici. Alcuni omini andavano su e giù con la carriola a prendere o a depositare oggetti, altri si arrampicavano sulle scale per raggiungere scudi babilonesi o lumi liberty. Improvvisamente, mentre guardavo stupefatto quell'enorme ammasso di oggetti, capii Aristotele, o per meglio dire, capii la sua voglia di fare un po' d'ordine su tutto quello che aveva visto nella vita e su tutte le teorie dei filosofi che lo avevano preceduto.

Di fronte a una mole di lavoro così imponente, suppongo che all'inizio Aristotele abbia cominciato col porsi domande abbastanza facili: «La cosa che ho davanti agli occhi, appartiene al mondo minerale, vegetale o animale?». Poi però, a forza d'interrogarsi, si sarà reso conto che ogni domanda presupponeva la soluzione di un quiz filosofico. Infatti, per capire bene la differenza che passa tra una lattuga e un cavallo, è necessario avere le idee chiare su che cosa voglia dire «essere una lattuga» ed «essere un cavallo».

Nella Storia della filosofia greca Aristotele è senza dubbio la montagna più impervia da scalare o, comunque, la più difficile da abbracciare con un unico sguardo. A volte sembra che abbia detto tutto e il contrario di tutto e che non ci sia scienza o disciplina su cui non si sia pronunciato. Ma non bisogna scoraggiarsi: così, sia pure con molta approssimazione, io vorrei fare il tentativo di riassumerlo in poche righe, alla maniera dei quotidiani quando riportano la trama di un film nella pagina degli spettacoli.

«Aristotele suddivise le cose del mondo in oggetti *non-viventi*, *vegetali* e *animali*. Successivamente, prese in esame anche l'uomo e si accorse che tutto ciò che questo singolare animale produceva poteva essere catalogato come *materiale*, *morale* e *teoretico*, a seconda che l'oggetto del suo pensiero appartenesse al mondo della *fisica*, dell'*etica* o della *metafisica*. Strumento principale del suo metodo di catalogazione fu la *logica*, basata sul *sillogismo*.»

Non è tutto, ma è quanto basta per cominciare.

Sembra facile la catalogazione «minerale, vegetale o animale» ma non lo è per niente. Ci sono casi-limite in cui non sappiamo come cavarcela: cristalli capaci di riprodursi e di crescere come se fossero piante, coralli che non si sa bene se bisogna considerarli minerali, vegetali o animali, alberi che mettono paura. Una volta, a Bordighera, ne ho conosciuto uno *di persona*, e quando dico *di persona* non mi sembra affatto di esagerare. Si trattava di un *ficus* della specie *benjamina*: un albero ultracentenario, immenso, gigantesco e minaccioso. Le sue radici, crescendo, avevano sfondato il muro di cinta del giardino, e contorto e divelto i ferri di un vecchio cancello; altre radici gli spuntavano di fianco e s'inabissavano nel terreno simili a serpenti insonnoliti; altre radici ancora pendevano dai rami e si protendevano verso terra nel disperato tentativo di raggiungere il suolo. Alto all'incirca trenta metri, l'albero si espandeva in ogni direzione e dava l'impressione di voler stritolare il mondo. Non avrei mai avuto il coraggio di dormirci accanto, da solo, nemmeno per dieci minuti.

Chi crede di saper distinguere i vegetali dagli animali, provi a chiedersi che cos'è una spugna o una pianta carnivora. Già per dare una definizione di animale sorgono problemi. Definirlo un essere vivente, capace di muoversi da sé, non basta: ci sono animali del tutto incapaci di muoversi, che per spostarsi si avvalgono di altri animali. Più difficile ancora la linea di demarcazione tra uomo e animale: se ne facciamo solo una questione d'intelligenza, finiamo col trovarci gomito a gomito con i cani, i delfini e i babbuini.

Per risolvere questi problemi spiccioli, Aristotele scrisse ben otto libri di fisica, dopo di che ne scrisse altri quattordici per spiegare la *metafisica*, ovvero gli argomenti che andavano al di là del mondo sensibile. Il termine *metafisica*, in verità, non fu coniato da Aristotele, ma dai suoi editori che lo brevettarono come «tutto ciò che viene dopo la fisica»; forse lo dobbiamo ad Andronico di Rodi che pubblicò le opere del maestro nel primo secolo avanti Cristo.

La metafisica

Se è difficile definire che cos'è una lattuga o un cavallo, pensate quanto sia più difficile spiegare un concetto astratto come il bene, il pensare, il peccato o la pietà. Ebbene, fra le 127.000 voci del vocabolario italiano, ce ne è una, il verbo *essere*, che è la più complicata di tutte: da Parmenide a Heidegger, non c'è filosofo che non abbia provato a venirne a capo.

Cominciamo col dire che *essere* non sempre è un verbo, a volte è anche un sostantivo. Esempio: *l'uomo è un essere vivente*. In questa frase la parolina terribile compare due volte: una volta come sostantivo (*essere*) e una come verbo, anzi come copula (*è*). Per di più l'espressione *essere vivente* viene chiamata anche predicato verbale. Non vi dico poi quello che succede quando Aristotele afferma che la metafisica è la scienza che ricerca *l'essere in quanto essere*! State tranquilli, non ci scoraggiamo e procediamo con ordine.

Per Parmenide l'essere è Uno, Immobile ed Eterno (questa definizione io di tanto in tanto la ripeto, anche se mi rendo conto che non è molto comprensibile). Per Platone invece l'essere è molteplice ed è costituito dalle Idee, ovvero da entità trascendenti, universali, alle quali il Demiurgo si è ispirato per costruire il mondo. Per Aristotele, infine, l'essere è ancora qualcosa di trascendente, che ha a che fare con il mondo ultrasensibile, ma, nello stesso tempo, è anche individuale, e quindi immanente. Vediamo come:

Io posso dire le seguenti verità:

«Renzo Arbore è di Foggia.»
«Renzo Arbore è un uomo di spettacolo.»
«Renzo Arbore è un cantante.»
«Renzo Arbore è un presentatore televisivo.»
«Renzo Arbore è amico mio.»
«Renzo Arbore è presidente dei disc-jockey.»
«Renzo Arbore è "quello" della birra.»
«Renzo Arbore è un regista.»
«Renzo Arbore è un giornalista pubblicista.»

Ognuna di queste proposizioni è vera, ma nessuna, da sola, mi dà l'essenza di Renzo Arbore. Se andassi in giro a chiedere qual è quella che più si avvicina all'idea di Renzo

Arbore, probabilmente gli intervistati mi risponderebbero: «È uomo di spettacolo». Non per me però, che sceglierei la frase «Renzo Arbore è amico mio», ritenendola la più importante di tutte, dal momento che mi sentirei suo amico anche se non fosse uomo di spettacolo. Ma allora qual è la vera essenza di Renzo Arbore? Non può essere che questa: «Renzo Arbore è Renzo Arbore.»

E che vuol dire? Che qualsiasi cosa ha fatto Arbore in passato o farà in futuro (il cantante, l'amico, la guida turistica al Colosseo) la farà sempre «alla Renzo Arbore», e che questo suo modo di essere è anche la sua essenza. Ecco come un concetto universale (fare una cosa *alla* Renzo Arbore) finisce col diventare un concetto individuale (essere Renzo Arbore).

Aristotele, nella sua frenesia di archivista, più da amministrativo, diciamo la verità, che da filosofo, ha detto che l'essere può acquistare i seguenti significati:

- Essere secondo le *dieci categorie* (che elencherò tra poco).
- Essere come *atto* o *potenza*.
- Essere come *vero* o *falso*.
- Essere come *sostanza* o *accidente fortuito*.

Cominciamo con le categorie e chiediamo a Spadolini di prestarsi anche lui, come Arbore, per il solito esempio: lo troviamo al Senato dove ha appena litigato con i socialisti.

1. *Sostanza*: «Spadolini è Spadolini».
2. *Quantità*: «Spadolini pesa più di un quintale».
3. *Qualità*: «Spadolini è uno storico».
4. *Relazione*: «Spadolini è più alto di Fanfani e più basso di Craxi».
5. *Luogo*: «Spadolini è al Senato».

6. *Tempo*: «Spadolini vive nel ventesimo secolo».
7. *Posizione*: «Spadolini è seduto».
8. *Condizione*: «Spadolini è vestito di scuro».
9. *Azione*: «Spadolini si gratta».
10. *Passione*: «Spadolini viene grattato».

L'essere si dice che è in *potenza* quando ha la possibilità di diventare qualcosa che ancora non è. Un ragazzino di sei anni è in *potenza* un calciatore, un deputato, o un delinquente. Quando sarà diventato una di queste cose (sempre che lo diventi) diremo che lo è in *atto*. Un albero è in *atto* un albero e, nello stesso tempo, è in *potenza* un tavolino. Una pistola, nel momento che esce dalla fabbrica, è sicuramente un oggetto metallico in *atto*, ma è anche un corpo del reato in *potenza*; per trasformare il suo essere da *potenza* ad *atto*, basta premere il grilletto e sparare sul primo disgraziato che capita a tiro.

L'essere può definirsi *vero* o *falso*. Ma questa distinzione è più oggetto della logica che non della metafisica, per cui ne parleremo in seguito.

L'essere è considerato *accidentale* quando l'attributo che gli appiccichiamo addosso è fortuito e occasionale. Una qualsiasi frase del tipo: Luigi è stanco, Carmela è abbronzata, Filippo è ubriaco, sta a indicare una particolare situazione dell'essere, vera in quell'istante, ma che potrebbe non essere più vera in seguito. Mi si dice che non debbo confondere l'essere *accidentale* con le dieci categorie elencate prima. Sarà, ma io, fatta eccezione per la prima categoria, le confondo lo stesso.

Abbiamo analizzato l'essere da tutti i punti di vista possibili; per quanto riguarda il divenire, invece, Aristotele ci consiglia di porci quattro domande ogniqualvolta assistiamo a un mutamento:

1. Che cosa è mutato?
2. Chi è stato a provocare il mutamento?

3. Con quale risultato?
4. A quale scopo?

Per rispondere a queste domande Aristotele indica quattro cause:

1. La causa *materiale*.
2. La causa *efficiente*.
3. La causa *formale*.
4. La causa *finale*.

Esempio numero 1: un falegname costruisce una sedia:

1. La causa materiale è il legno.
2. La causa efficiente è il falegname.
3. La causa formale è la sedia come è stata effettivamente eseguita.
4. La causa finale è la sedia come l'aveva progettata il falegname.

Esempio numero 2: uno scultore fa una statua di Marilyn Monroe.

1. La causa materiale è il marmo.
2. La causa efficiente è lo scultore.
3. La causa formale è la statua.
4. La causa finale è la buonanima di Marilyn Monroe, così come se la ricordava lo scultore.

Esempio numero 3, del tutto atipico: se cade il governo e se ne forma un altro.

1. La causa materiale sono i parlamentari eleggibili.
2. La causa efficiente sono il primo ministro in carica, i partiti della coalizione e i franchi tiratori che hanno provocato la crisi.
3. La causa formale è il nuovo gabinetto.
4. La causa finale è il compromesso fra i vari gabinetti possibili che ogni partito avrebbe costituito se avesse potuto decidere da solo.

Il popolo, come si vede, non c'entra per niente, anche se, sul piano costituzionale, dovrebbe essere la causa efficiente.

Concetto aristotelico dell'anima

Quando Aristotele dice «anima», facciamo attenzione: non si tratta dell'anima spirituale e immortale, quella che conosciamo noi, ma di una componente dell'individuo, divisa in tre parti, *vegetativa*, *sensitiva* e *razionale*, che nasce e muore unitamente al corpo.[3] Tra corpo e anima vige un rapporto materia-forma, come se l'anima fosse la vera forma del corpo.[4] Chiedersi se corpo e anima siano la stessa cosa è una domanda priva di senso: è come domandarsi se sono la stessa cosa la cera e la forma della candela.[5] Aristotele non crede nella metempsicosi, come Pitagora e Platone,[6] né nell'immortalità dell'anima, e questo ha sempre dato un po' di fastidio a tutti i filosofi cristiani che lo avevano eletto a guida spirituale del mondo greco.

Il mondo aristotelico vede in basso la materia bruta senz'anima, ovvero i corpi senza forma, e in cima alla piramide Dio che è solo forma senza materia. Man mano che si sale verso l'alto, l'universo si evolve, passando dalla materia a Dio, e la forma acquista caratteristiche sempre più raffinate. Di qui le tre diverse specie di anima: l'anima vegetativa, l'anima sensitiva e l'anima razionale. Le piante posseggono solo la prima, gli animali la prima e la seconda, e l'uomo tutte e tre le specie.

[3] «È manifesto che l'anima non è separabile dal corpo, giacché le attività di alcune sue parti rappresentano l'*atto* delle parti corrispondenti del corpo.» (Aristotele, *Dell'anima*, 413 a.). Per la traduzione italiana delle opere di Aristotele si può far riferimento a quelle (11 voll.) dell'editore Laterza, Bari 1973.

[4] Aristotele, *Dell'anima*, cit., 414 a.

[5] *Ibid.*, 412 b.

[6] «L'assurdità in cui incorrono sia la dottrina del *Timeo* (...) sia quella dei pitagorici, è che l'anima potrebbe entrare in qualunque corpo.» (*Ibid.*, 407 b.)

L'anima *vegetativa* ha come facoltà fondamentali la riproduzione, la nutrizione e la crescita. Anche le zucchine, che a Napoli chiamiamo *cocozzielli*, malgrado la loro apparente innocenza, posseggono un'anima, e di questo dovrebbero essere grate ad Aristotele.

L'anima *sensitiva* possiede le sensazioni, gli appetiti e il movimento. I sensi, come è noto, sono cinque, ma per Aristotele sono sensi anche le voglie: la voglia di mangiare, di bere, di far l'amore e via di seguito.

L'anima *razionale*, in *potenza*, possiede la capacità di conoscere le pure forme (intelligenza potenziale), e in *atto* fa quello che fa (intelligenza attuale): *potenzialmente* parlando, potrebbe conoscere Dio, poi in *atto* si accontenta di capire *Dallas*. L'anima razionale si comporta come la luce. I colori esistono anche quando sono al buio e non si possono vedere: sono quindi colori in *potenza*, alla luce diventano colori in *atto*. Il merito di questa trasformazione è quindi della luce, cioè dell'anima razionale che li ha illuminati.

Tutti e tre i tipi di anima muoiono con il corpo, ma partecipano alla vita eterna attraverso la riproduzione. «La funzione più normale di un essere vivente» dice Aristotele «è quella di produrre un altro essere simile a se stesso; l'animale produce un animale, la pianta una pianta. E poiché nessun individuo può sopravvivere identico e uno, essendo corruttibile, partecipa, per quanto gli è possibile, all'eterno, e continua a vivere, non in se stesso, ma in un essere simile a sé, non come individuo quindi, ma come specie.»[7]

[7] *Ibid.*, 415 b.

L'etica

Al centro del famoso dipinto *La scuola di Atene* (riprodotto fra l'altro sulla sovraccoperta di questo volume), in mezzo a una cinquantina di filosofi stravaccati su una scalinata, Raffaello ha ritratto i due big del pensiero greco, Platone e Aristotele, entrambi in piedi, che si scrutano con aria severa. Munitevi di una lente d'ingrandimento: potrete osservare che, mentre il primo ha sotto il braccio il *Timeo* e con la mano destra indica il cielo, il secondo stringe l'*Etica* e indica la terra. Raffaello, probabilmente, di filosofia non doveva capirne granché; aveva sentito dire dai dotti del suo tempo che, di quei due, uno era idealista e l'altro realista, e aveva pensato bene di ritrarli, emblematicamente, in quelle posizioni.

In verità, a commettere l'errore di Raffaello sono stati in molti, e a me non sembra giusto, nei confronti di Aristotele, che si riduca il suo pensiero a una specie di enciclopedia pratica del vivere bene. In effetti lo stagirita non ha per nulla trascurato il cosiddetto *trascendente*, anzi, ha disposto tutte le discipline filosofiche, a seconda della loro importanza, sui gradini di una piramide, in cima alla quale ha collocato la metafisica e Dio, primo motore di ogni cosa. Di vero c'è solo che, come dice Giovanni Reale,[8] «Platone, oltre a essere un filosofo, era *anche* un mistico, mentre Aristotele era *anche* uno scienziato». A parte ciò, a me non sembra che Aristotele stia indicando la terra: se guardate il quadro con attenzione, potete notare che, all'invito di Platone, lui risponde col palmo della mano aperta, come a dire: «Piano Platò: non esagerare come fai sempre tu: vediamo prima come stanno i fatti!».

Ethos in greco significa «comportamento, abitudine,

[8] Giovanni Reale, *Storia della filosofia antica*, vol. II: *Platone e Aristotele*, pag. 257, Vita e pensiero, Milano 1983⁴.

costume», l'etica quindi è la morale, ossia come ci si deve comportare, come si deve agire, quel che va fatto e quel che non va fatto, quel che è bene e quel che è male.

Che vogliamo noi nella vita? La felicità. Affermazione questa che di per sé non dice nulla, perlomeno finché non si è capaci di definire che cos'è la felicità e che bisogna fare per raggiungerla. Per la maggior parte delle persone la felicità consiste nel vivere bene. Ma una vita fatta di soli piaceri fisici, avverte Aristotele, è una vita da bestie. Qualcuno più evoluto pensa che la felicità possa consistere negli «onori», ovvero nella ricchezza, nel potere o nei simboli del potere (una bella casa, una bella auto, una bella amante ecc.). Questi piaceri, però, obietta ancora Aristotele, sono gratificazioni solo per modo di dire, in quanto rimangono esterni all'individuo, senza «arricchirlo» davvero.[9]

Per Platone la felicità era l'Idea del Bene, del «Bene in sé» come lo chiamava lui, un qualcosa cioè di «separato», che proprio in quanto separato diventava irraggiungibile. Ora, se nella metafisica una definizione del genere può ancora passare, nell'etica, francamente, non è di nessuna utilità: la morale, se non è pratica, che morale è, e Aristotele in questo, bisogna convenirne, era più «pratico» di Platone. Per lui il Bene consiste nel realizzare l'attività che ci è peculiare. Che vuol dire? Che se per l'occhio il massimo del bene è il vedere e per l'orecchio il sentire, per l'uomo il massimo del bene consisterà nello svolgere quelle funzioni che sono proprie degli uomini. Ma che cos'è che distingue un uomo dagli altri esseri viventi? L'anima razionale, non certo l'anima vegetativa o quella sensitiva, che sono comuni anche agli altri animali! Dal che si deduce che il Bene Supremo consisterà nel far funzionare la ragione.

Ecco qui di seguito il passo dove Aristotele ci spiega, in breve, questa sua teoria morale:[10]

[9] Aristotele, *Etica Nicomachea*, I, 5, 1095 b 24-26.
[10] *Ibid.*, I, 7, 1097 b-1098 a *passim*.

«Come per il flautista, lo scultore e ogni altro artigiano, il bene sembra risiedere nella perfezione della sua opera, così dovrebbe accadere anche per l'uomo. Ma qual è la specialità dell'uomo? Non certo il vivere, che è comune alle piante, non la sensazione che è comune al cavallo, al bue e a ogni altro animale. Resta l'essere razionale. E dal momento che è preferibile un citaredo che sappia suonare bene a uno che suoni male,[11] è da considerarsi virtuoso l'uomo che ragioni secondo virtù. E non per una volta soltanto, ma per tutta l'esistenza. Come una sola rondine non fa primavera, così un'unica giornata virtuosa non può far diventare beata e felice tutta una vita.»

Cerchiamo adesso di rendere ancora più individuale il concetto di felicità. Prima, parlando di Arbore, ho detto che esiste un'essenza definita «Renzo Arbore» che appartiene solo a lui e a nessun altro. Ebbene, in etica potrei dire più o meno la stessa cosa: il Bene Supremo per Arbore consisterà nel realizzarsi come Renzo Arbore. Generalizzando il principio, potrei dire che per raggiungere il Bene, ognuno di noi deve: in primo luogo conoscere se stesso, e poi realizzarsi in modo conforme alla propria natura. Esempio: supponiamo di essere direttori di banca o scassinatori con lancia termica, è probabile che la nostra felicità consista nel dirigere bene una filiale o nel penetrare nel caveau della Banca d'Italia. Ma se putacaso, malgrado la professione esercitata, la nostra vera natura fosse un'altra: che so io... quella di sentirsi padre, allora sarebbe consigliabile lasciar perdere la banca per un'oretta (nel bene o nel male) e andare a scuola a prendere il proprio figlio.

[11] Quando ho letto la frase «è preferibile un citaredo che suoni bene a uno che suoni male», mi sono chiesto: ma è Aristotele o Max Catalano?

Esempi più complessi di felicità sono quelli relativi a uomini che, contemporaneamente, si potrebbero sentire realizzati in più situazioni: aspiranti scrittori, direttori di orchestra, padri, tifosi della Juventus e innamorati di Isabella Rossellini. In questo caso le loro possibilità di essere felici aumentano a vista d'occhio; l'importante, però, è non farsi mai condizionare dall'ambiente esterno e desiderare solo quelle cose che «veramente» si è sicuri di desiderare.

Aristotele distingue tra virtù *etiche* e virtù *dianoetiche*.[12] Le prime hanno a che vedere con l'anima sensitiva e sono utili a temperare le passioni, le seconde invece sono una prerogativa dell'anima razionale. La virtù etica è il giusto mezzo tra due vizi opposti, ovvero tra il partecipare in eccesso o in difetto a una stessa emozione.

Ecco in proposito uno stralcio dall'*Etica Eudemia*:[13]

Virtù etica	*Per eccesso*	*Per difetto*
La mansuetudine	L'ira	L'impassibilità
Il coraggio	La temerarietà	La viltà
La verecondia	La sfacciataggine	La timidezza
La temperanza	L'intemperanza	L'insensibilità
La giustizia	Il guadagno	La perdita
La liberalità	La prodigalità	L'avarizia
L'amabilità	L'ostilità	L'adulazione
La serietà	La compiacenza	La superbia
La magnanimità	La vanità	La modestia
La magnificenza	La fastosità	La meschineria

[12] Aristotele, *Etica Nicomachea*, I, 13, 1103 a 7.
[13] Aristotele, *Etica Eudemia*, II, 3.

Oggi potremo inventarci altre virtù etiche ignote alla società ateniese del IV secolo: seguire una partita di calcio da *veri sportivi*, senza comportarci né da tifosi ultrà, né da incompetenti (potrà sembrare strano, ma non esiste quasi nessuno in grado di vedere una partita di calcio con un minimo di lealtà sportiva, nel senso di applaudire un avversario). Essere per il nucleare, o contro il nucleare, e nel medesimo tempo tener conto delle ragioni del partito avverso. Scegliere una trattoria dove si mangia genuino, evitando sia il Toulà, che il Mac Donald.

Le virtù *dianoetiche* sono quelle relative all'anima razionale e si chiamano saggezza (*phrónesis*) o sapienza (*sophía*), a seconda che si riferiscano alle cose contingenti e variabili, o alle cose necessarie e immutabili. La saggezza è pratica, la sapienza è teoretica.

Al di là di queste definizioni che, probabilmente, lasciano il tempo che trovano, Aristotele torna a essere simpatico quando afferma che, certo, un po' di beni esteriori e di mezzi di fortuna pure ci vogliono. Tutti sono d'accordo nel dire che la ricchezza non dà la felicità, ma non è che la povertà migliori molto la situazione.

Ecco come la pensa Aristotele:

«Sembra che la felicità abbia bisogno dei beni esteriori, in quanto è impossibile, o non facile, compiere belle azioni quando non si hanno mezzi economici. Molte cose infatti vengono compiute grazie agli amici, alla ricchezza e al potere politico. Non può essere felice chi è molto brutto, di oscura nascita, solo e senza figli; e meno ancora è felice se per disgrazia ha figli degeneri, o se li ha buoni e li vede morire. Insomma nella vita, per raggiungere la felicità, ci vuole anche un po' di fortuna.»[14]

[14] Aristotele, *Etica Nicomachea*, I, 8, 1099 a 31-b 7.

La logica

Tutte le ragazze svedesi sono di coscia lunga.
Ulla è una ragazza svedese.
Ulla è di coscia lunga.

Questo è il famoso sillogismo aristotelico, o per meglio dire, non è proprio questo ma gli somiglia moltissimo. In realtà Aristotele disse:

Tutti gli uomini sono mortali.
Socrate è un uomo.
Socrate è mortale.

Il verbo *syllogízesthai* in greco vuol dire «raccogliere» e difatti il sillogismo raccoglie in una sola frase, *Socrate è mortale*, quanto è stato detto nella premessa maggiore *Tutti gli uomini sono mortali* e nella premessa minore *Socrate è un uomo*. Nel caso in esame, la parola *uomo* rappresenta il termine medio, ovvero l'elemento in comune che fa scattare il sillogismo.

Da ragazzi, al Liceo Iacopo Sannazzaro, ci divertivamo a inventare sillogismi fasulli, per far perdere la calma al nostro insegnante di filosofia, il professor D'Amore. Il sillogismo che più ci faceva ridere, diceva:

Socrate fischia.
La locomotiva fischia.
Socrate è una locomotiva.

E il povero D'Amore si avviliva. Me lo ricordo ancora, dietro la cattedra, grondante di sudore, mentre si difendeva dal caldo e dalle mosche con un ventaglio di carta: «Sole, mosche e *ciucciarie*![15]» e dicendo *ciucciarie* volgeva gli occhi al cielo per chiamarlo a testimone. «Come al

[15] *Ciucciarie* = asinerie.

solito non avete capito niente. *Guagliù*, per fare un sillogismo ci vuole una premessa maggiore e una premessa minore: voi invece, non avete fatto la premessa maggiore. Per farlo funzionare avreste dovuto dire:

Tutto ciò che fischia è una locomotiva.
Socrate fischia.
Socrate è una locomotiva.»

«Allora:» dicevo io «esiste un'eventualità che Socrate possa essere una locomotiva?»

«No che non esiste,» rispondeva lui senza scomporsi «esiste però l'eventualità che tu finisca a ottobre per la filosofia.»

Di sillogismi se ne possono fare moltissimi: Aristotele ne prevede una grande varietà, a seconda che le premesse siano di genere positivo, negativo, categorico, possibile, totale o parziale. Il sillogismo delle ragazze svedesi, ad esempio, è del tipo «prima figura» ed è denominato *Barbara*, che, sia chiaro, non è una ragazza svedese, ma è il nome dato a questo tipo di sillogismo dagli scolastici. Un altro è quello chiamato *Darii*:

Tutti i disonesti prendono le bustarelle.
Alcuni uomini politici sono disonesti.
Alcuni uomini politici prendono le bustarelle.

In questo esempio la premessa maggiore è totale e la minore è parziale: la conclusione non può essere che parziale.

Poi c'è il *Ferio*:

Nessun tifoso è obiettivo.
Alcuni giornalisti sportivi sono tifosi.
Alcuni giornalisti sportivi non sono obiettivi.

E il *Celarent*:

Qua nessuno è fesso.
Tutti i napoletani vivono qua.
Nessun napoletano è fesso.

Il che ovviamente non è vero, se non altro perché non sono vere le premesse. È nostra convinzione infatti che, per un principio di equità, i fessi siano stati distribuiti in percentuali uguali in ogni parte dell'universo.

Siamo del parere che conoscere a fondo il sillogismo non sia una cosa indispensabile. In genere si tratta di ragionamenti elementari che anche gli analfabeti fanno, senza sapere di aver fatto un sillogismo. Aristotele, invece, dà molta importanza all'argomento, tanto da scriverci sopra un'imponente serie di opere: gli *Analitici primi*, che si occupano delle varie figure; gli *Analitici secondi*, che descrivono il sillogismo scientifico; i *Topici*, che parlano del sillogismo dialettico; e per finire le *Confutazioni sofistiche*. Se ne sconsiglia la lettura.

La poetica

Anche nell'arte poetica Aristotele ha voluto dire la sua e, come al solito, ha cercato di classificare i generi letterari in modo da schedare per l'eternità tutti gli autori. Non aveva previsto il genere «Varia», oggi incluso nelle classifiche Ansa e Demoskopea. Peccato: avrebbe avuto il suo da fare a mettere insieme, nella stessa categoria, Roberto d'Agostino, Giorgio Forattini, Jane Fonda e la *Guida Michelin*.

Aristotele nella *poetica* comprende un po' tutte le «scienze produttive» dell'uomo, e dice: «L'uomo fa alcune cose che la natura non sa fare, altre, invece, le imita».[16] Le cose che la natura non sa fare sono gli utensili (le sedie, le automobili, le lavastoviglie), le altre, invece, sono le «arti belle» (i quadri, le sculture, i drammi), e nascono per imitazione della natura.

In merito alle distinzioni tra i vari tipi di arti teatrali (tragedia, commedia, epica ecc.) va segnalato quello che purtroppo Aristotele pensava dei comici. Scrive il filosofo: «La tragedia è opera imitativa di una azione seria, eseguita con linguaggio adorno e con personaggi nobili».[17] E più avanti: «La commedia è imitazione di soggetti vili, spesso anche brutti, e suo elemento fondamentale è il ridicolo».[18] Dopo di che della commedia non dice più nulla.

Questa svalutazione del comico nasce con Aristotele e non ha mai smesso di colpire tutti coloro che in qualche modo sono coinvolti in qualcosa di divertente.

L'accusa è tanto più ingiusta, se si pensa che molto di quello che sappiamo dei greci lo dobbiamo ad Aristofane e a Menandro, non certo a Eschilo, Sofocle ed Euripide. Così come se nel Tremila i nostri posteri volessero conoscere le abitudini degli italiani del ventesimo secolo, apprenderebbero molte più cose dai film di Sordi che non da quelli di Antonioni.

A proposito di razzismo nei confronti dei comici, è di ieri la notizia che il monumento a Totò, nella Villa comunale di Napoli, non verrà più eretto, perché non ha avuto l'ultimo benestare dalla Commissione edilizia. Malgrado il consen-

[16] Aristotele, *Fisica*, II, 8, 199 a.
[17] Aristotele, *Poetica*, 6, 2.
[18] *Ibid.*, 5, 1.

so popolare e il bozzetto già approvato in sede di progetto, la Commissione ha negato la posa del monumento con la seguente motivazione: «L'opera costituisce una turbativa a un paesaggio consolidato storicamente. In particolare si considera antiestetico l'accostamento con le altre statue».[19]

Il bello è che il grande attore comico napoletano aveva previsto questo veto e fin dal '64 aveva scritto una bellissima poesia intitolata *'a livella*,[20] nella quale lo spirito di un marchese litiga con lo spirito di un netturbino. I due defunti sono stati sepolti, dalle rispettive famiglie, l'uno accanto all'altro e il marchese non tollera questa promiscuità: invita lo scheletro del netturbino ad allontanarsi di qualche metro, per mantenere le distanze sociali. Il poveretto in un primo tempo chiede scusa per l'iniziativa sconsiderata dei parenti, poi perde la pazienza ed esclama: «Marché, queste pagliacciate lasciamole fare ai vivi, noi adesso siamo gente seria: siamo morti!».

Fortunatamente, il comico, con il tempo, a volte diventa classico, mentre il drammatico, come dice Flaiano, spesso degenera lentamente in comico.[21]

Gli aristotelici

Due parole sui successori di Aristotele: Teofrasto, Stratone e Licone. Con loro il Liceo diventa una vera e propria università scientifica e perde il fascino di luogo d'incontro tra conversatori peripatetici. Duemila allievi, corsi programmati, insegnanti di ruolo e nozionismo a tutto andare. Si parla sempre più di natura e sempre meno di metafisica.

[19] Cfr. «Il Mattino» del 2 agosto '86, pag. 19.
[20] Totò, *'a livella*, Fausto Fiorentino, Napoli 1964.
[21] Ennio Flaiano, *Frasario essenziale per passare inosservati in società*, Bompiani, Milano 1986, pag. 22.

Teofrasto in particolare, un po' per la passione per la botanica, un po' per una certa diffidenza verso tutto quello che è teoretico, fa retrocedere la filosofia aristotelica a livelli presocratici. Si ritorna a parlare di *Nous*, di mente come materia impalpabile e di cosmologia meccanicistica. Basta dare una scorsa ai titoli delle opere di Teofrasto per rendersi conto che il trascendente non è più di moda. Eccone alcuni: *Sulla stanchezza, Sul sudore, Sui capelli, Sul capogiro, Sullo svenimento, Sul soffocamento, Sulle pietre, Sul miele, Sul ridicolo, Sul vino e sull'olio*.

Nel libro *Sul carattere del superstizioso*, il filosofo ci descrive la giornata di un ateniese: la mattina va a lavarsi le mani alla fonte del tempio dove l'acqua, si dice, è più pura e porta bene; poi si mette in bocca una foglia di lauro per accaparrarsi la benevolenza di Apollo; se un topo, durante la notte, gli ha bucato il tascapane, invece di recarsi dal calzolaio per farselo riparare, va da un indovino per sapere quale Dio ha offeso e a chi deve sacrificare; nel camminare fuori le mura fa attenzione a non calpestare mai le pietre tombali; non sopporta la vista dei carretti che trasportano i cadaveri e, se per caso incontra un epilettico, o un pazzo, cade in preda al panico e si sputa addosso facendo scongiuri.

Come si vede, sono passati 2400 anni e il saggio della superstizione di Teofrasto è ancora abbastanza attuale.

Teofrasto, figlio di Melante, nacque a Ereso, in Asia Minore, nel 370 a.C.[22] Fu allievo prima di Platone e poi di Aristotele. Godeva di molto credito presso gli ateniesi ed ebbe moltissimi allievi, tra i quali un suo schiavo, Pompilo, a sua volta filosofo, e il commediografo Menandro. Pare che in età avanzata si sia innamorato di Nicomaco, il figlio di Aristotele. Tutte queste notizie da rotocalco scandalistico ci vengono fornite sempre dallo Pseudo-Aristippo in

[22] Diogene Laerzio, *Vite dei filosofi*, v, II, 36.

un'opera intitolata *Sulla lussuria degli antichi*. Teofrasto resse il Liceo per ben trentacinque anni, dal 322 (fuga di Aristotele a Calcide) al 287 (anno della sua morte). Di veramente valido lasciò due opere: *Ricerca sulle piante*, in nove libri, e *Cause delle piante*, in sei libri. Morì a ottantatré anni.

Stratone, detto il Fisico, continuò l'opera positivistica di Teofrasto. Per lui *caldo* e *freddo* erano principi attivi e tutto ciò che accadeva nel mondo era dovuto a qualche causa naturale. L'anima quindi era solo uno *pneuma* materiale. Da giovanotto, insieme a un altro aristotelico, tale Demetrio Falereo, convinse il re Tolomeo ad aprire una scuola ad Alessandria, il Museo. Successivamente, alla morte di Teofrasto, venne ad Atene e assunse la guida del Liceo.

A detta di Diogene Laerzio, era così magro, ma così magro, che passò dalla vita alla morte «senza accorgersene».[23]

Dopo Stratone divenne capo del Liceo Licone, figlio di Astianatte. Di lui sappiamo solo che era molto eloquente, che amava i fanciulli e che era molto ricercato nel vestire. Troppo poco per passare alla storia.[24]

[23] Diogene Laerzio, *Vite dei filosofi*, v, III, 60.
[24] *Ibid.*, v, IV, 65.

VII
Salvatore Palumbo

«Caro Di Costanzo...»

«De Crescenzo.»

«Caro De Crescenzo, non vi pigliate collera, ma gli esempi di napoletanità che mi avete raccontato non m'interessano. Lo sapete come la penso: sono un aristotelico, credo nel "giusto mezzo", nelle medie ricavate da un ampio numero di casi, nelle percentuali, nelle statistiche. Se avete da offrirmi dei numeri, accomodatevi pure: li accetto volentieri. Se invece si tratta di *fattarielli*, grazie lo stesso, non li voglio sentire!»

«Prufessò!» grida Tanino a prua della barca, con l'ancora in mano. «Vi sta bene qua? *I' votto 'o fierro.*[1]»

Ci troviamo in mezzo alle isole Galli, al largo della costiera amalfitana. I Galli, più che isole, sono tre scogli posti a poche miglia da Positano. La giornata è calda, l'acqua del mare immobile, il cielo celeste chiaro, quasi grigio, senza nemmeno una nuvola all'orizzonte. Neanche una *refola* di vento. Il professore Palumbo, insegnante di matematica al Liceo Giambattista Vico, ha preso a noleggio un gozzo:

[1] *I' votto 'o fierro* = Io butto il ferro, ovvero l'ancora.

duecentomila al giorno compresa la colazione. Sulla barca, oltre al marinaio, siamo in cinque: io, Palumbo, la moglie, la figlia Michela e Serena, un'amica di Michela, studentessa in biologia. Duecentomila lire per una giornata di mare è una spesa insolita per un insegnante di liceo.

«Per una volta si può fare,» sospira il professore «mia figlia è stata a Roma tre mesi a casa di Serena: adesso tocca a me ricambiare. Io poi qualche cosa a questa ragazza gliela dovevo pure far vedere!»

Siamo tutti in costume da bagno tranne Palumbo, che è completamente vestito.

«Professò,» chiede Tanino «ma non vi spogliate?»

«No.»

«E perché?»

«Perché così mi piace,» risponde scorbutico il professore, mentre si copre il cranio con un fazzoletto «odio il sole, il mare e la sabbia: non mi voglio fare il bagno e non mi voglio abbronzare. Trovo stupido sdraiarsi su una barca e restare immobile per ore e ore come un fico secco. Non ho mai capito perché gli uomini, proprio quando fa caldo, si mettano al sole e quando fa freddo, vadano sulla neve. Secondo me, dovrebbero fare il contrario.»

Michela si tuffa a mare, a «candelotto» come si dice, subito dopo riemerge e invita Serena a fare altrettanto.

«Tuffati, Serena, l'acqua è bellissima!»

La ragazza è dubbiosa, non sa se buttarsi o meno: scruta l'acqua con una certa apprensione.

«Ho paura dei pescecani» confessa. «Prima di partire, a Positano, un ragazzo mi ha detto che questo tratto di mare è chiamato "il triangolo degli squali".»

«Tutte fesserie:» esclama il professore «i pescecani non esistono!»

«Qui ai Galli?» chiede Serena.

«Non esistono né ai Galli, né in nessun mare italiano» ribadisce Palumbo.

«Come sarebbe a dire: non esistono?»

«Hai mai conosciuto qualcuno che è stato morsicato da un pescecane? Qualcuno di cui potresti fare nome e cognome? No? E allora vuol dire che i pescecani non esistono. Immagino, invece, che conosci moltissime persone che hanno avuto un incidente stradale: in Italia, ogni anno, tra morti e feriti ne contiamo duecentomila. Tu però di questo non ti preoccupi, tu vieni in macchina da Roma a Positano e non hai paura. Poi arrivi qua e te la prendi con una povera bestia che, fino a prova contraria, non ha ancora ammazzato nessuno. Questo vuol dire non avere una mentalità statistica!»

«Sì, ma lo squalo...» obietta debolmente Serena.

«Lo squalo è un film, non è un fatto» grida Palumbo. «La realtà invece è che questo pescecane tu ce l'hai dentro la testa, nel buio del tuo inconscio, così come hai l'incubo dei fantasmi e chissà quante altre stupidaggini.»

«Perché adesso nemmeno i fantasmi esistono?» interviene la signora Assunta, la moglie del professore.

«Proprio così: nemmeno i fantasmi esistono. Anche per loro vale il ragionamento fatto per i pescecani: hai mai conosciuto una persona che ti abbia detto: "Signò, stanotte, mentre dormivo, sono arrivati due fantasmi e *m'hanno fatto 'nu mazziatone*"?»

«E allora le sedute spiritiche? I mobili che si muovono? I medium che parlano con un'altra voce?» replica la signora. «Salvatò, tu non puoi negare l'esistenza dell'aldilà!»

«Assù,» ribatte il professore «una cosa è l'esistenza dell'aldilà, e un'altra cosa sono i fantasmi! Se esistessero sul serio, nessun assassino potrebbe dormire tranquillo la notte. Prendi, per esempio, un nazista che ha eliminato un paio di

migliaia di persone: pensa i fantasmi che gli farebbero passare, se solo potessero fare qualcosa!»

«Che c'entra!» replica la signora. «Quelli sempre spiriti sono: si possono mostrare ma non possono agire...»

«E allora perché averne paura?» chiede il professore. «Anzi: incontrarne qualcuno potrebbe essere interessante per avere qualche notizia di prima mano sull'aldilà. Purtroppo io non ne ho mai visto nessuno.»

«Allora, se ho ben capito,» intervengo io, riprendendo il discorso iniziale «voi, con lo stesso criterio, negate anche l'esistenza della napoletanità. Come non esistono i fantasmi, così non esistono i napoletani.»

«Nossignore, Di Costanzo, non ho detto questo...»

«De Crescenzo.»

«Ah già De Crescenzo. Scusatemi se continuo a sbagliare il vostro cognome, ma dovete sapere che ho avuto un compagno di scuola che si chiamava Di Costanzo, e allora...»

«Non ve ne preoccupate,» replico con ipocrita cortesia «anzi, se vi trovate meglio, chiamatemi pure Di Costanzo. Piuttosto, ditemi, secondo voi, che cos'è la napoletanità?»

«Scusatemi, De Crescenzo, ma se c'è una domanda che non sopporto è proprio questa: che cos'è la napoletanità? Quanto vi giuro: *nun ce 'a faccio cchiù*! L'unica risposta accettabile la dette una volta Domenico Rea quando rispose: "Non lo so". E aveva ragione. Seguitemi due minuti: se per napoletanità intendiamo ciò che distingue l'essere napoletano dall'essere di un altro popolo, ditemi voi come è possibile definire una realtà così complessa e contraddittoria come quella del popolo napoletano! Io quando sento qualcuno di questi intellettuali del cazzo...»

«Salvatò, ci sono le ragazze!» protesa la signora Palumbo.

«...questi intellettuali del cavolo» continua il professore,

abbassando un pochino la voce «che parlano di folclore, di mandolini e di macchiettismo, ebbè, credetemi: li vorrei sequestrare! Li porterei a vivere, con la forza, in un vicolo napoletano, perché sappiano una volta per tutte come è fatto un popolo, che faccia ha, quali sono i suoi valori morali. Poi chiederei loro se hanno visto in giro qualche mandolino. Sono cinquant'anni che vivo a Napoli e non ho mai visto un mandolino. Dio solo lo sa chi ha messo in giro questa voce dei mandolini! Dico io: ma se non avete mai mangiato, nemmeno una volta nella vostra vita, in un basso napoletano, come vi permettete di parlare? Il guaio è che quando succede un fatto divertente a Genova, a Torino o a Velletri, è solo un fatto divertente, quando invece succede a Napoli è napoletanità. In merito poi agli aneddoti divertenti, bisogna fare una distinzione: sono o non sono ironici? E già, perché se chi li giudica non ha il senso dell'ironia, l'aneddoto diventa subito macchietta. E così tutto finisce nello stesso calderone: la presunta allegria, l'arte di arrangiarsi, lo scarso senso civico, la socialità, il culto della famiglia, la maledizione di essere simpatici, l'ignoranza. Su Napoli, caro Di Costanzo, è possibile dire tutto e il contrario di tutto. Volendo potrei sostenere che i napoletani hanno uno spiccato senso della solidarietà ed essere creduto. Quante volte abbiamo sentito dire che Napoli non è come New York, che se uno cade per strada a Napoli, tutti corrono in suo aiuto? Il guaio è che abbiamo sentito affermare anche l'esatto contrario: che oggi, se ti aggrediscono in un vicolo, non c'è più nessuno che ti dia una mano. Non ci vogliamo rendere conto che Napoli è grande, è immensa: tre, quattro, cinque milioni di abitanti, non so quanti perché non ho ancora capito dove comincia e dove finisce: da Pozzuoli a Castellammare di Stabia, mi sembra un unico e continuo susseguirsi di case. Popoli diversi, dialetti diversi, culture diverse. A questo punto diventa impossibile generalizzare.»

«Sì, però proprio in base alla sua tesi della media delle opinioni, esisterà un modo di essere napoletano che potremo definire napoletanità.»

«Sentite, De Crescenzo...»

«Grazie.»

«Un valore medio esiste di sicuro, magari difficile da calcolare, ma esiste. Il fatto, però, è che chi giudica, di fronte a una materia così opinabile, finisce, magari in buona fede, col farla coincidere con quella che vorrebbe che fosse. Come diceva Tacito, *fingunt et credunt*. A questo punto non possiamo che accontentarci della media delle medie.»

«Non ho capito.»

«De Crescé, seguitemi: dieci anni fa Antonio Ghirelli chiese a una ventina d'intellettuali napoletani di rispondere a tre domande: esiste la napoletanità, che cos'è, e se esiste ancora.[2] Ognuno disse la sua e le risposte furono tutte diverse: chi la portava alle stelle e chi la disprezzava, chi citava i soliti Vico, Croce e compagnia bella, e chi metteva in risalto il qualunquismo del popolo. Eppure a sentirli sembravano tutti sinceri. Allora io ho capito che le risposte erano tutte giuste, che era vera sia la Napoli disperata di Luigi Compagnone, che quella "subacquea" di Raffaele La Capria, legata al circolo nautico e al fascino di una gioventù vissuta tra gli scogli di Donn'Anna. Non potevo pretendere che una donna chiusa, difficile di carattere, come la Ortese, potesse avere della città la stessa opinione di un Giuseppe Marotta, che la vedeva solo attraverso il nostalgico filtro dei ricordi. Alla fine ho concluso che sia la Ortese che Marotta avevano il diritto di raccontare la Napoli che volevano, proprio perché, mentre la raccontavano, "quella Napoli" diventava vera.»

[2] Antonio Ghirelli, *La Napoletanità*, Soc. Ed. Napoletana, Napoli 1976.

«Quindi se ho ben capito: non è la realtà storica che conta, ma solo quella poetica.»

«Proprio così: Borges insegna» continua Palumbo. «Napoli è una mazza, come quelle che si usano per suonare i gong. La mazza è sempre la stessa, ma il suono che ne esce è diverso perché sono diversi i piatti che rimbombano.»

«E noi saremmo i piatti?» chiedo io. «In altre parole, non suoniamo ma siamo suonati.»

«Sì. E per sapere che cos'è la napoletanità dobbiamo accontentarci del "giusto mezzo" dei suoni prodotti.»

«Come sarebbe a dire?»

«Ingegné, supponiamo che io non vi conosca, e che l'unica possibilità che abbia di conoscervi sia quella di chiedere un'opinione ai vostri amici più cari, allora che succede? Che arriva uno e dice: "Guarda che l'ingegnere è così". Poi arriva un altro e dice: "Nossignore, non è vero che è così, è cosà". Alla fine io, da bravo professore di matematica, faccio la media di tutte le opinioni e dico: "Ecco, questo è Di Costanzo!".

VIII
Epicuro

Per qualcuno è stato il migliore, per altri il peggiore. C'è chi lo ha definito un dissoluto, ateo e donnaiolo, e chi un santo e un profeta. Cicerone lo odiava, Lucrezio lo venerava. Lo stesso termine «epicureo» è da sempre oggetto di fraintendimenti: per il *Nuovo Zingarelli* è un uomo «che conduce una vita agiata e dedita ai piaceri», per il *Palazzi* è «un sensuale, un crapulone e un gaudente», per noi, invece, che abbiamo letto i suoi scritti, è un morigerato che la sera mangia poco per non andare a letto con lo stomaco pieno. In una lettera a un discepolo, Epicuro scrive: «Il mio corpo trabocca di dolcezza quando vivo a pane e acqua, e sputo sui piaceri della vita sontuosa, non per loro medesimi, sia chiaro, ma per gli incomodi che essi comportano».[1] In un'altra chiede a un amico: «Mandami una pentolina di formaggio perché io possa, di tanto in tanto, gozzovigliare».[2]

In base a queste premesse, è nostra intenzione istituire un processo di riabilitazione della figura del filosofo.

Epicuro di Atene non nacque ad Atene ma a Samo, nel 341 avanti Cristo, sotto il segno dell'Acquario. Tuttavia

[1] Stobeo, *Antologia*, XVII, 34.
[2] Diogene Laerzio, *Vite dei filosofi*, x, 11.

non possiamo considerarlo uno straniero, sia perché figlio di genitori ateniesi (Neocle e Cherestrate erano del demo Gargetto, uno dei quartieri più popolari di Atene), sia perché vissuto fino alla maggiore età in una comunità formata di soli cittadini ateniesi. Undici anni prima della sua nascita, infatti, duemila disoccupati, tra i quali i suoi genitori, furono autorizzati dal governo di Atene a fondare una colonia nell'isola di Samo, dopo averne scacciato gli abitanti.[3]

Epicuro era il secondo di quattro fratelli. Suo padre era un maestro di scuola e si dice che si facesse accompagnare dal figlio durante le lezioni. A parte gli insegnamenti paterni, Epicuro iniziò lo studio della filosofia quando aveva appena quattordici anni, o addirittura dodici secondo alcuni,[4] ed ebbe come maestro Panfilo, un platonico residente a Samo. In un primo tempo il ragazzo si era iscritto alla scuola pubblica, ma, a quanto pare, non ci restò che pochi minuti. Ecco come Sesto Empirico ci racconta il suo primo giorno di scuola:[5]

«Da principio sorse il Caos» disse il maestro agli alunni.
«E da dove sorse?» chiese Epicuro.
«Questo noi non lo possiamo sapere: è argomento riservato ai filosofi.»
«E allora che sto a fare qui, a perdere tempo?» replicò Epicuro, «vado direttamente dai filosofi.»

A diciotto anni viene chiamato ad Atene per assolvere all'*efebia*, ovvero al servizio militare: si troverà accanto, come compagno di naia, il commediografo Menandro. Siamo nel 323: Senocrate insegna all'Accademia e Aristotele dispensa saggezza e nozioni al Peripato. Non è escluso che

[3] *Ibid.*, x, 1.
[4] *Su(i)da* (che non è il nome di uno storico, ma solo di una specie di enciclopedia del X secolo), voce «Epicuro».
[5] Sesto Empirico, *Adversus mathematicos*, X, 18.

il militare Epicuro, di tanto in tanto, si sia fatta una capatina alle loro lezioni. «Xenocratem audire potuit» scrive Cicerone.[6] Curiosamente però il filosofo non volle mai ammettere queste sue prime esperienze scolastiche: non aveva alcuna stima dei colleghi, eccetto, forse, per Anassagora e per Democrito.

Nel frattempo muore Alessandro Magno e gli abitanti di Samo, grazie anche al nuovo re macedone Perdicca, riconquistano l'isola e buttano a mare gli ateniesi e con essi i genitori di Epicuro. Il filosofo, un po' preoccupato per la sorte dei suoi familiari, li raggiunge a Colofone e qui fonda, insieme ai fratelli, Neocle, Cheredemo e Aristobulo, e allo schiavo Mis, il primo nucleo epicureo.

In quel periodo, a Teo, nei pressi di Colofone, insegna filosofia un certo Nausifane, un democriteo. Epicuro, appassionato sostenitore dell'atomismo, decide di andarselo a sentire. Ma come per Panfilo e per Senocrate, anche per Nausifane non ci sarà alcuna riconoscenza: verrà definito «un mollusco, un illetterato e una puttana».[7] Chissà perché Epicuro, così dolce e cortese con gli umili e con le donne, diventava poi una vipera con gli intellettuali e, prima di tutti, con i platonici e gli aristotelici: probabilmente ci teneva a essere considerato un autodidatta e rifiutava qualsiasi relazione del suo pensiero con quello degli altri.[8]

Sempre con i fratelli e con lo schiavo, a trentadue anni si trasferisce a Mitilene e apre ufficialmente la prima scuola epicurea. All'inizio le cose non vanno assolutamente bene: le sette platoniche sono troppo forti e troppo politicizzate per poter sopportare una scuola che distoglie i giovani dalla religione e dalla politica. Ma Epicuro non si dà per vinto: rifà il tentativo a Lampsaco e, dopo cinque anni di provin-

[6] Cicerone, *De natura deorum*, I, 26, 72.
[7] Diogene Laerzio, *Vite dei filosofi*, x, 8.
[8] Cicerone, *De natura deorum*, I, 26, 72.

cia, nel 306, sbarca ad Atene dove si afferma definitivamente. Da questo momento l'epicureismo non conoscerà più frontiere: si diffonderà in tutta la Grecia, in Asia Minore, in Egitto e in Italia. Dice Diogene Laerzio: «Gli amici di Epicuro non si potevano contare se non in intere città».[9]

Ad Atene Epicuro compera per ottanta mine una casa e un orto in piena campagna, e sarà proprio quest'orto a dare il nome a tutta la scuola. Gli epicurei verranno chiamati «Quelli del Giardino», anche se poi, nella fattispecie, il giardino al posto dei fiori aveva cavoli, rape e cetrioli.

Per una scuola basata sull'amicizia, l'ingresso non poteva che essere libero. Frequentavano il Giardino gente di ogni condizione sociale: uomini e ragazzi, meteci e schiavi, notabili ateniesi e bellissime etere. La presenza delle donne fece subito scandalo. Le malelingue si scatenarono e misero in giro la voce che Epicuro e Metrodoro convivevano con cinque etere, Leonzio (Leonziuccia per il maestro), Mammario, Edia, Erozio e Nicidio, e che dormivano, tutti insieme, in un unico letto![10] Cicerone, in particolare, definisce la scuola «un giardino di piacere, dove i discepoli languivano in mezzo a raffinati godimenti».[11]

È davvero strano il destino di Epicuro. Le innumerevoli voci che circolavano sul suo conto, nell'antichità, erano tanto calunniose quanto assurde. Una volta uno stoico, un certo Diotimo, scrisse cinquanta epistole oscene, firmandole tutte Epicuro, solo per metterlo in cattiva luce. Posidonio, altro stoico, raccontò che incitava alla prostituzione il fratello minore. Teodoro, nel quarto libro *Contro Epicuro*, lo accusa di ubriacarsi insieme a Temista, la moglie di Leonteo. Timone lo definisce «corteggiatore del ventre».[12]

[9] Diogene Laerzio, *Vite dei filosofi*, x, 9.
[10] *Ibid.*, x, 7.
[11] Benjamin Farrington, *Che cosa ha veramente detto Epicuro*, trad. it. Ubaldini, Roma 1967, pag. 21.
[12] Ateneo, *Deipnosofisti*, VII, 279 f, (cfr. fr. 56 Wach).

Timocrate scrive che vomitava due volte al giorno per poter mangiare di nuovo.[13] Plutarco, in un libro intitolato *Non posse suaviter vivi secundum Epicurum*, racconta che aveva un diario dove registrava quante volte aveva fatto l'amore e con chi.[14]

Gli epicurei subirono delle vere e proprie persecuzioni di carattere religioso, soprattutto per colpa degli stoici che facevano di tutto per metterli in cattiva luce. In Messenia i timuchi, ovvero le autorità del luogo, dettero ordine ai soldati di cacciare tutti i seguaci di Epicuro e di purificare le loro case col fuoco. A Creta alcuni poveri disgraziati, accusati di professare una filosofia effeminata e nemica degli Dei, furono esiliati dopo essere stati cosparsi di miele e dati in pasto alle mosche e alle zanzare. Nel caso che qualcuno di loro fosse tornato indietro, sarebbe stato buttato giù da una rupe in vesti femminili.[15]

Ciò che dava fastidio dell'epicureismo era il disprezzo per i politici e l'atteggiamento democratico verso gli inferiori. Epicuro praticava l'amicizia in un mondo dove tale sentimento era concepibile solo tra persone dello stesso ceto. Mentre Platone, nelle *Leggi*,[16] suggerisce il modo migliore per soggiogare gli schiavi (prenderli di diversa nazionalità perché non possano comunicare tra loro, usare il castigo corporale perché non dimentichino mai di essere schiavi), Epicuro li accoglie a braccia aperte e parla loro come un vecchio amico. Tre secoli dopo, anche Gesù avrà dei problemi per ragioni analoghe.

Epicuro morì di calcoli renali a settantuno anni. Ecco come in una lettera a un discepolo ci descrive il suo ultimo giorno di vita:[17] «Epicuro a Ermarco, salute. Volge per me

[13] Tutte queste voci sono riportate da Diogene Laerzio, *Vite dei filosofi*, x, 3-7.
[14] Plutarco, *Non posse suaviter vivi secundum Epicurum*, 1089 c.
[15] Jacob Burckhardt, *Storia della civiltà greca*, cit., vol. II, pag. 928.
[16] Platone, *Leggi*, VI, 777-778.
[17] Cicerone, *De finibus*, II, 30, 96.

il supremo giorno. Così acuti sono i dolori alla vescica e alle viscere, che più oltre non può procedere il dolore. Pure a essi s'adegua la gioia dell'animo mio, nel ricordare le nostre dottrine e le verità da noi scoperte. Ora tu, come si conviene a chi si mostrò sempre buono verso me e verso la filosofia, abbi cura dei figli di Metrodoro».

Ermippo racconta che prima di morire volle entrare in una tinozza di bronzo, piena di acqua calda, dove si mise a bere del vino e a chiacchierare, finché non sopraggiunse la morte.[18]

Caratteristiche del pensiero di Epicuro

La filosofia è una strana scienza, di difficile, se non di impossibile definizione. All'inizio si occupava di tutto: di fisica, astronomia, cosmologia, etica, poetica, politica, logica, matematica, epistemologia, ontologia eccetera, poi con l'andar del tempo ha cominciato a perdere qualche branca, e oggi si è ridotta, forse, alla sola ontologia, ovvero alla scienza dell'essere. Se proprio volessimo darle una definizione, potremmo dire che si occupa della ricerca del significato dell'esistenza.

Un modo complementare per capire il pensiero dei filosofi antichi è quello di stabilire quale, dei tanti settori della filosofia, ha riscosso maggiormente il loro interesse. I presocratici dettero la preferenza alla cosmologia e alla fisica, con eccezione degli eleati che si dedicarono all'ontologia. Socrate è stato l'inventore dell'etica, e Platone e Aristotele, pur interessandosi di tutto, centrarono il loro pensiero, ancora una volta, sull'ontologia.

Con Epicuro, invece, abbiamo una preminenza dell'etica sulla fisica, ma, a differenza di Socrate e di Platone, per i

[18] Ermippo, fr. 40 Müller.

quali l'uomo è essenzialmente un cittadino e l'*êthos* un insieme di doveri, l'uomo epicureo è solo un individuo in cerca di felicità: non più quindi «una unità politica» da inserire in una comunità, ma un privato la cui regola prima è «vivi di nascosto» (*láthe biósas*).[19]

L'etica

Qui di seguito parleremo dell'amicizia, dei desideri, del piacere e della morte.

Dice Epicuro: «Di tutti i beni che la saggezza ci porge, il più prezioso è l'amicizia»,[20] ed è questa la chiave per capire la sua filosofia. Meglio una società che speri nell'amicizia, che una che faccia affidamento sulla giustizia. Al riguardo il Giardino, più che una scuola, era una base per missionari. Per Epicuro l'amicizia doveva trasmettersi da uomo a uomo quasi per contagio, tipo catena di Sant'Antonio. Sostituiamo la parola amore con la parola amicizia e abbiamo in Epicuro un precursore di San Francesco. Se il messaggio non è stato mai recepito dalle masse, è perché l'amicizia è un valore privato, e non è come la giustizia, che può essere un valido strumento ideologico per la conquista del potere.

«Ogni mattina l'amicizia fa il giro della terra per ridestare gli uomini, affinché si possano felicitare a vicenda.»[21] Questa immagine poetica di Epicuro ci dice tutto sul suo pensiero. Egli vede nell'amicizia un mezzo di comunicazione, un'ideologia, che pur essendo nata dall'utilità, finisce per identificarsi col piacere e diventare il fine ultimo della vita.[22]

[19] Plutarco, *De latenter vivendo*, 3, 1128 f sg. (cfr. fr. 551 Usener).
[20] Epicuro, *Massime Capitali*, XXVII. (Per una traduzione italiana di Epicuro si possono consultare le *Opere*, a cura di G. Arrighetti, Einaudi, Torino 1967².)
[21] Epicuro, *Sentenze Vaticane*, LII.
[22] *Ibid.*, XXIII.

La tesi epicurea è meno utopica di quanto si creda: nel secolo scorso il sociologo tedesco Ferdinand Tönnies suddivise le comunità umane in due specie, le prime, basate sulla giustizia (*Gesellschaft*), e le seconde sull'amicizia (*Gemeinschaft*).[23]

Le comunità *Gesellschaft* sono di tipo orizzontale: tutti i cittadini hanno pari diritti di fronte alla Legge. L'individuo non deve ricorrere a parentele o a raccomandazioni di amici per ottenere ciò di cui ha bisogno: se il suo desiderio è legittimo, nessuno lo costringerà a strisciare davanti ad alcuno. Un ottimo esempio di *Gesellschaft* è l'Inghilterra: sia la Regina Elisabetta che l'ultimo degli sguatteri di Soho, pur occupando ruoli diversi, possono vantare gli stessi diritti di fronte alla legge.

Le comunità *Gemeinschaft*, invece, sono piramidali: in esse tutti i rapporti sono regolati da amicizie. Si formano gruppi a carattere familiare, corporativo, politico, culturale, e ogni clan è caratterizzato dall'avere un capo al vertice della piramide, e, tra il vertice e la base, una gerarchia intermedia. Si va avanti a forza di raccomandazioni e parentele. Il Mezzogiorno d'Italia è il primo esempio di *Gemeinschaft* che mi viene in mente.

Detta così, la *Gemeinschaft* sembra una società di tipo mafioso da evitare come la peste. Esaminiamola invece con spirito epicureo e ricaviamone una morale: chi vive in una comunità basata sull'amicizia capisce subito che, se vuole sopravvivere, deve cercare di farsi quanti più amici possibile, e questo lo rende più socievole e più disponibile nei confronti del prossimo; il cittadino, invece, della *Gesellschaft*, forte dei suoi diritti costituzionali, eviterà i contatti con gli altri e in breve tempo diventerà un individuo estremamente civile e «distaccato». Non dimentichiamoci, infine, che

[23] F. Tönnies, *Gemeinschaft und Gesellschaft*, trad. it. Edizioni di Comunità, Milano 1963.

anche Platone, nel *Simposio*, faceva nascere l'Amore dalla Povertà e dall'arte di arrangiarsi.

Nell'etica epicurea si tende sempre a raggiungere emozioni medie: un buon pasto, ma senza esagerare, un rapporto amoroso, ma entro certi limiti. Secondo Epicuro: «La troppa quiete è accidia e l'esagerata attività è follia».[24] Ebbene l'amicizia è per l'appunto un sentimento medio, a metà strada tra l'indifferenza e l'amore.

Per Epicuro i desideri potevano essere di tre tipi: *naturali e necessari, naturali e non necessari, non naturali e non necessari.*[25]

I piaceri naturali e necessari sono quelli che garantiscono la vita: mangiare, bere, dormire e coprirsi quando fa freddo. Sia chiaro però che stiamo parlando del mangiare quanto basta, del bere quando si ha sete e dell'indossare un abito adatto alla stagione. Per esempio, la pelliccia a Napoli non ci sembra ammissibile.

I piaceri naturali e non necessari sono quelli che, pur gradevoli ai sensi, rappresentano il superfluo: come, per esempio, il mangiare meglio, il bere meglio, e via di seguito. Un buon piatto di pasta e fagioli è senz'altro un piacere naturale e non necessario. Se è possibile averlo senza troppo penare, ben venga, altrimenti «grazie lo stesso». Così pure nel campo dell'arte, o dei buoni sentimenti. Sentenzia Epicuro: «Si onori il bello e la virtù, e ogni altra cosa simile, se recano piacere, sennò, salutatemeli tanto».[26]

I desideri non naturali e non necessari sono quelli indotti dall'opinione. Prendiamo il caso di un Rolex d'oro: sicuramente non è un bene necessario. Se ci piace possederlo, è

[24] Epicuro, *Sentenze Vaticane*, XI.
[25] Epicuro, *Massime Capitali*, XXIX.
[26] Ateneo, *Deipnosofisti*, XII, p. 546F.

perché tutti lo considerano un oggetto di valore. Se provassimo sul serio un piacere a guardarlo, dovremmo entusiasmarci anche per un Rolex falso. Oggi l'umanità è più attirata dalla firma, che non dalla qualità del prodotto, e la firma, bisogna ammetterlo, non è né naturale, né necessaria.

E con il sesso come la mettiamo? Per essere naturale, è naturale, ma è anche necessario? Necessario, cioè, a prescindere dalla procreazione? Epicuro in proposito ha dei dubbi: «Se indulgi ai piaceri di Venere, e non violi le leggi e i buoni costumi, e non danneggi il tuo corpo dimagrendo, e non vai in malora, fa' pure quello che vuoi, ma sappi che è estremamente difficile evitare tutti questi inconvenienti. Con Venere, è già molto se non ci rimetti nulla!».[27]

Insomma, la regola dell'etica epicurea è elementare: i piaceri naturali e necessari bisogna soddisfarli sempre, altrimenti ne va di mezzo la sopravvivenza; quelli non naturali e non necessari mai, perché sono fonte di competizione; quelli intermedi, solo dopo aver risposto a questa domanda: «Mi conviene o non mi conviene?».[28]

Per sintetizzare quanto sopra, esponiamo alcune regole auree di Epicuro (una specie di manuale *Bon ton* del Giardino):

– Se vuoi far ricco Pitocle, non accrescerne gli averi, ma sfrondane i desideri.[29]

– Facciamo gran conto della frugalità, non perché dobbiamo sempre vivere a stecchetto, ma per essere meno preoccupati.[30]

– Sciogliamoci dal carcere degli affari e della politica.[31]

[27] Epicuro, *Sentenze Vaticane*, LI.
[28] *Ibid.*, LXXI.
[29] Stobeo, *Antologia*, XVII, 24.
[30] *Ibid.*, XVII, 14.
[31] Epicuro, *Sentenze Vaticane*, LVIII.

– Meglio dormire senza paura su un giaciglio di foglie, che inquieto in un aureo letto.[32]

– Nessun piacere è un male in sé, ma possono esser male i mezzi per raggiungerlo, quando recano più turbamenti che gioie.[33]

– Non sciupare il bene che hai col desiderio di quello che non hai.[34]

In merito al piacere, Epicuro era solito dire: «Il fine della vita è il piacere, ma non il piacere dei dissoluti e dei gaudenti, come credono alcuni ignoranti che non ci vogliono capire, bensì il non soffrire, per quanto riguarda il corpo, e il non turbarsi per quanto riguarda l'anima».[35] Ne deduciamo che l'essere innamorati, dal momento che turba l'anima, non è più un piacere, ma una specie di nevrosi.

Per chiarire, invece, cosa sia il piacere, quello vero, basta ascoltare il nostro corpo: «La carne grida: non voglio soffrire la fame, non voglio soffrire la sete, non voglio soffrire il freddo. Chi ritiene di aver già raggiunto questi obiettivi, può considerarsi pari a Zeus in quanto a felicità».[36]

Tutto questo è molto saggio; difficile è spiegarlo a un ragazzino di quattordici anni che vuole per forza il motorino.

«Perché avere paura della morte?» osserva il filosofo. «Quando ci siamo noi non c'è la morte e quando c'è la morte non ci siamo noi.»[37] Sì, aggiungo io, però ci sono quelli che sopravvivono alle persone care e che soffrono

[32] Stobeo, *Antologia*, V, 28.
[33] Epicuro, Massime Capitali, VIII.
[34] Epicuro, *Sentenze Vaticane*, XXXV.
[35] Epicuro, *Epistola a Meneceo*, 131.
[36] Epicuro, *Sentenze Vaticane*, XXXIII.
[37] Epicuro, *Epistola a Meneceo*, 125.

come bestie. Ma questo a Epicuro non interessa: lui, come sempre, vuole liberarci da qualsiasi preoccupazione, presente e futura, anche da quella della morte. In pratica è come se dicesse: «Che ti preoccupi a fare della morte, non puoi farci niente, tanto vale vivere al meglio e non pensarci su: spesso fa più male la paura di morire che la morte».[38] Coraggio allora, non pensiamoci e cantiamo tutti in coro:[39]

Ti avviso, o Morte,
che da ogni tua insidia mi son premunito,
e quando sarà il momento,
assai sputacchiando sulla vita
e su quelli che ad essa si avvinghiano,
me ne dipartirò cantando
un peana sui giorni che ho vissuto!

Per risolvere ogni nostro problema, Epicuro ha pronta una medicina: il *quadrifarmaco*:

– Non temere gli Dei.
– Non temere la morte.
– Sappi che il piacere è a disposizione di tutti.
– Sappi che il dolore, quando dura, è sopportabile, e quando è forte, è di breve durata; e ricordati che «Il saggio è felice anche fra i tormenti!».[40]

La fisica

La fisica di Epicuro non presenta caratteri di originalità tali da renderla inconfondibile: in essa il filosofo ricalca le orme degli atomisti, e finisce col disegnare un Universo che è

[38] *Ibid.*
[39] Epicuro, *Sentenze Vaticane*, XLVII.
[40] Diogene Laerzio, *Vite dei filosofi*, x, 118 (cfr. fr. 601 Usener).

quasi la fotocopia dell'Universo di Democrito. Ciò premesso, passiamo a elencarne i punti principali.

– Nulla nasce dal Nulla. L'Universo è infinito ed è formato dai *corpi* e dal *vuoto*.[41]
– L'esistenza dei *corpi* è provata dai sensi.
– L'esistenza del *vuoto* è provata dal movimento: se non esistesse il *vuoto*, i *corpi* non saprebbero dove andare quando si muovono.
– Il *vuoto* non è un «non-essere» che non c'è, ma è un «essere» che c'è anche se è impalpabile.
– I *corpi* si dividono in *composti* e *semplici*: questi ultimi sono gli *atomi* e non sono divisibili, come dice la parola stessa.[42]

Democrito aveva detto che, «all'inizio», gli atomi cadevano tutti dall'alto verso il basso, come una pioggia, finché un bel giorno, dallo scontro di due di essi, nacque una serie di altri scontri, di rimbalzi e di aggregazioni, che alla fine dette origine al mondo e ai corpi composti. La teoria però prestava il fianco a una critica: se le traiettorie degli atomi erano tutte parallele, come avevano fatto gli atomi a scontrarsi? Al massimo si sarebbero potuti tamponare, dicevano gli oppositori.

Al che Epicuro, con la massima faccia tosta, risponde: «Gli atomi, durante la caduta, hanno deviato un pochino e sono entrati in collisione tra loro».[43] «E perché hanno deviato un pochino?» chiediamo ancora noi. Lui qui non risponde. Insomma, diciamo la verità: questa deviazione degli atomi, anche nota come teoria del *clinamen*,[44] è una

[41] La fisica di Epicuro è esposta nell'*Epistola a Erodoto*.
[42] In greco atomo significa «non divisibile»: è un vocabolo composto dal verbo *temnēin*, che vuol dire «tagliare», e da un *alfa* privativo.
[43] Cicerone, *De finibus*, I, 6, 18 (cfr. fr. 281 Usener).
[44] Il termine *clinamen* è stato coniato dal poeta latino Lucrezio, di cui parleremo fra poco.

pezza a colore che non convince nessuno. Ci rendiamo conto, però, che per Epicuro doveva essere molto importante: da una parte gli consentiva di salvare in corner la spiegazione materialistica dell'Universo, e dall'altra introduceva il concetto di «libero arbitrio», ovvero la possibilità di allontanarsi da una visione del mondo troppo meccanica e fatalistica. Da questo momento in poi, quindi, niente Zeus, Demiurghi e Motori Immobili a cui inchinarsi, ma nemmeno Fato e Necessità con i loro destini già scritti. La cosa più strana è che Epicuro, dopo aver fatto una fatica enorme per liberarsi del trascendente, di punto in bianco afferma l'esistenza degli Dei! Sembra incredibile, ma è così: aggiunge solo che vivono per conto loro e non si curano di noi.[45]

Ora io mi chiedo: ma che bisogno c'era di tirare in ballo gli Dei in un Universo già bello e spiegato come quello democriteo? Unica ipotesi possibile è che ha dovuto fare queste ammissioni per vivere tranquillo ed evitare il solito processo per empietà. Pare che, interrogato in merito, abbia risposto: «Miei cari amici, se da ogni parte della terra si crede negli Dei, che volete che vi dica: gli Dei dovranno pure esistere, o no? L'importante, però, è non immaginarli come se li immagina il volgo».[46]

Adesso esaminiamo come si era formato l'Universo secondo Epicuro: gli atomi, muovendosi a caso e ad altissima velocità, avevano finito col raggrupparsi in più punti e col creare infiniti mondi, distanziati gli uni dagli altri da spazi immensi chiamati *intermondi*.[47] In ognuna di queste concentrazioni, gli atomi più pesanti si erano piazzati al centro, generando la terra, e i più leggeri erano stati espulsi verso l'esterno, dando origine al cielo. Alcuni atomi pesanti, infine, a causa dell'eccessiva pressione, si erano trasformati in acqua.

[45] Cicerone, *De natura deorum*, I, 19, 51 (cfr. fr. 352 Usener).
[46] Epicuro, *Epistola a Meneceo*, 123.
[47] Plutarco, *Placita philosophorum*, I, 4 (cfr. fr. 308 Usener).

In un mondo siffatto, anche l'anima doveva essere composta di atomi. Ovviamente si tratta di atomi di prima scelta: *ignei, aeriformi e ventosi*, per l'anima irrazionale, e di *estrema sottigliezza*, per quella razionale.[48] In verità, su questa ultima definizione Epicuro ci sembra un po' a corto di aggettivi: evidentemente non sa più come descrivere l'impalpabilità e si arrangia parlando di *estrema sottigliezza*. È quasi inutile precisare che, in quanto materia, l'anima è mortale e si dissolve insieme al corpo.[49] Dante Alighieri ne tiene conto e punisce Epicuro, sistemandolo all'inferno nel girone degli eretici:[50]

Suo cimitero da questa parte hanno
con Epicuro tutti i suoi seguaci,
che l'anima col corpo morta fanno.

Per finire, due parole sulle sensazioni: i corpi emanano immagini o *simulacri* (*eídola*) che dopo aver vagato per lo spazio colpiscono i nostri sensi e il nostro pensiero:[51] un po' come fanno le onde televisive che attraversano l'etere per offrire gli *eídola* di Mike Bongiorno a tutti gli italiani.

Quelli del Giardino

L'epicureismo ebbe un'ottima diffusione nel mondo greco e latino: per cinque secoli si sparpagliò un po' dovunque. Sorsero Giardini epicurei in Grecia, in Asia Minore, in Egitto e ovviamente in Italia. Tra i discepoli greci ricordiamo: Metrodoro e Polieno di Lampsaco, morti prima di Epicuro, quindi Ermarco di Mitilene, suo successore alla guida

[48] Epicuro, *Epistola a Erodoto*, 63.
[49] *Ibid.*, 46.
[50] Dante Alighieri, *Inferno*, X, 13-15.
[51] Epicuro, *Epistola a Erodoto*, 46.

della scuola, e infine tutti gli altri: Leonteo con la moglie Temista, Colote, Idomeneo, Dionigi, Protarco, Polistrato, Basilide, Apollodoro, soprannominato il tiranno del Giardino, Ippoclide, Zenone di Sidone, eccetera.

Tra i più accaniti seguaci di Epicuro va ricordato un certo Diogene di Enoanda, un ricco signore del II secolo d.C., che scelse un mezzo veramente insolito per trasmettere l'insegnamento del maestro: acquistò una collina nei pressi del suo paese e, sullo spiazzo sovrastante l'altura, costruì un porticato rettangolare. Dopo di che, sul frontone dei portici, fece scolpire una scritta di oltre cento metri, che riassumeva il pensiero di Epicuro. Insomma, non un libro, ma un intero monumento per diffondere il nuovo pensiero. La maxi-epigrafe cominciava pressappoco così:

SONO AL TRAMONTO DELLA VITA E NON VOGLIO ANDARMENE SENZA PRIMA AVER ELEVATO UN INNO A EPICURO PER LA FELICITÀ CHE MI HA DATO CON IL SUO INSEGNAMENTO. DESIDERO TRASMETTERE ALLA POSTERITÀ QUESTO CONCETTO: LE VARIE DIVISIONI DELLA TERRA DANNO A CIASCUN POPOLO UNA DIVERSA PATRIA. MA IL MONDO ABITATO OFFRE A TUTTI GLI UOMINI, CAPACI DI AMICIZIA, UNA SOLA CASA COMUNE: LA TERRA.

Questa iscrizione è stata scoperta per caso nel 1884 da due archeologi francesi e rappresenta il più bel messaggio internazionalista trasmessoci dal mondo antico.

Tra gli epicurei greci del I secolo a.C. ricordiamo Filodemo di Gàdara che, a nostro avviso, costituisce l'anello di congiunzione tra l'epicureismo e la napoletanità. Il filosofo fondò una succursale del Giardino a Ercolano, a pochi chilometri da Napoli, e ancora oggi, nella Villa di Calpurnio Pisone, tornano alla luce papiri con le sue massime. Filodemo insegnava e scriveva in greco, poteva quindi essere capito solo da una ristretta cerchia di intellettuali. Ecco qui di seguito due dei suoi testi più significativi:

«Che cosa distrugge maggiormente l'amicizia sulla terra? Il mestiere della politica. Osservate l'invidia dei politici nei confronti di coloro che cercano di primeggiare, la rivalità che necessariamente nasce tra i competitori, la lotta per la conquista del potere e la deliberata organizzazione di guerre, che sconvolgono non solo l'individuo, ma intere popolazioni.»[52]

«I filosofi della nostra scuola hanno per la giustizia, la bontà, la bellezza e le virtù in genere, le medesime inclinazioni degli uomini comuni, ma, a differenza di loro, i nostri ideali non sono fondati su basi emotive, ma su basi meditate.»[53]

Il primo tentativo di diffondere l'epicureismo a Roma fallì miseramente: nel 155 a.C. arrivarono dalla Grecia due seguaci del Giardino, tali Alceo e Filisco, e furono cacciati in malo modo non appena aprirono bocca.[54] La cosa non deve meravigliarci più di tanto: gli antichi romani, a quell'epoca, erano per lo più sani e robusti giovanotti, ma non avevano una tradizione culturale che consentisse loro di apprezzare le sfumature della filosofia greca. Spiegare a un *civis romanus* del II secolo a.C. che cos'era l'essere, è come far capire oggi a Rambo che cos'è lo Zen.

A forza d'insistere, però, l'epicureismo sbarcò anche in Italia: intorno al 50 a.C., alcuni studiosi dai nomi strani, Amafinio, Rabirio, Cazio e Safeio, tradussero le massime epicuree in lingua latina e ottennero un grande successo

[52] B. Farrington, *Che cosa ha veramente detto Epicuro*, cit., 158-159.
[53] *Ibid.*, 254-255.
[54] Eliano, *Varia historia*, IX, 12.

editoriale. A essi si aggiunsero, con il fascino dei loro versi, i poeti Lucrezio e Orazio. Quest'ultimo, nelle *Epistole*, confessò candidamente di essere un *Epicuri de grege porcus*, un porco del gregge di Epicuro, contribuendo non poco a quell'equivoco di cui parlavamo prima.[55]

Dei testi dei primi traduttori non se ne è salvato nessuno, ma da Cicerone apprendiamo che si trattava di veri e propri best-seller.[56] «Quando uscirono i libri di Amafinio,» scrive Cicerone «la gente ne rimase impressionata. Io, personalmente, mi sono sempre rifiutato di leggerli, perché, dal momento che avevano invaso l'Italia, ho capito che non potevano essere opere di cultura.» Nulla di cui stupirsi: ancora oggi molti critici la pensano come Cicerone. Alla domanda «Hai letto Tizio?», spesso rispondono: «No, e non mi piace!». D'altra parte, mettiamoci nei loro panni: se è gente davvero brava, è talmente affaccendata da non trovare tempo per la lettura, e al massimo può permettersi una sfogliatina qua e là. Meglio quindi un giudizio sommario, magari per sentito dire, che il rischio di perder tempo con un libro spazzatura. Di tanto in tanto qualcuno lo ammette senza pudore. Una volta in Inghilterra un critico ha dichiarato: «Non leggo mai un libro prima di recensirlo, per non lasciarmi influenzare!».

Grazie a Dio non andò perduto il capolavoro di Lucrezio, il *De rerum natura*; anche se qualche piccolo rischio deve averlo corso. Infatti il poema, pur essendo stato apprezzato nell'epoca imperiale, sparì dalla circolazione subito dopo la conversione di Costantino al cristianesimo, segno questo che non doveva essere molto amato dalle alte gerarchie della nuova religione. Ricomparve solo nel 1417

[55] Orazio, *Epistole*, I, IV, v. 17.
[56] Cicerone, *Tusculanae*, IV, 3, 6-7.

per merito di un umanista, Poggio Bracciolini, che ne trovò una copia semisepolta in un monastero in Svizzera. L'importanza del *De rerum natura* è enorme: è in pratica l'unica opera che esponga in modo completo la teoria atomistica di Epicuro. Qualcuno potrebbe chiedersi se sia possibile spiegare una filosofia in versi. È possibile: basta usare come termini di paragone gli innumerevoli esempi che offre la natura. Ecco come Lucrezio spiega il movimento degli atomi, anche in quei corpi che apparentemente sembrano statici: un gregge, visto da lontano, dalla cima di un monte, sembra una macchia bianca immobile, visto da vicino, invece, «bruca pascoli lieti dovunque l'erba l'invita, splendente di rugiada, e corrono gli agnelli saziati di placidi scherzi».[57] Certo che in latino il fascino del suo stile è maggiore: non c'è confronto fra «visto da lontano sembra un intreccio confuso» e «*longe confusa videntur*»; a ogni modo, italiano o latino che sia, è sempre bello vedere la poesia e la filosofia camminare sottobraccio come due vecchie compagne di scuola.

A volte Lucrezio ci lascia alquanto perplessi. Ecco come inizia il secondo libro del *De rerum natura*:

Bello, quando sul mare si scontrano i venti
e la cupa vastità delle acque si turba...

e uno pensa: «Ma quanto è bravo Lucrezio, che sensibilità poetica!». Poi legge:

... guardare da terra un naufragio lontano
e rallegrarsi dello spettacolo dell'altrui rovina.

Ma come: è bello assistere a un naufragio?! No, Lucrezio non è un sadico. Dice così per farci capire che nella vita bisogna sempre guardare a quelli che stanno peggio di noi,

[57] Lucrezio, *De rerum natura*, II, 318.

per meglio apprezzare i beni che già si posseggono. E ai suoi tempi, di atrocità se ne vedevano moltissime: basta ricordarsi della guerra civile e dell'insurrezione comandata da Spartaco, con lo spettacolo finale di seimila schiavi crocifissi lungo la via Appia.

Malgrado la sua saggezza, Lucrezio fece una brutta fine: una donna perversa, *improba foemina*, lo indusse a bere un filtro d'amore, per cui, impazzito di gelosia, si suicidò, a soli 44 anni, buttandosi su una spada. Epicuro non lo avrebbe giustificato.

IX
Gli stoici

«Affezionato lettore, che fin qui mi hai seguito con pazienza e fiducia, sappi che, a prescindere dalla tua razza, dal tuo sesso e dal segno astrologico che consideri tanto importante, sei, nel fondo del tuo animo, o uno stoico o un epicureo. Leggi e saprai!»

Una premessa così non l'ha mai scritta nessuno, ma andrebbe fatta in ogni storia della filosofia, tali e tante sono le differenze caratteriali tra i seguaci delle due scuole.

Per capire bene lo stoicismo è necessario confrontarlo continuamente con l'epicureismo, quasi come se l'una dottrina fosse in contrapposizione con l'altra. Il bello è che entrambe le scuole si proponevano di raggiungere gli stessi risultati: *vivere con saggezza*. L'unica differenza era che per gli epicurei questa saggezza s'identificava con il *piacere* e per gli stoici con il *dovere*. Tutto qui.

Una cosa va detta subito: mentre l'insegnamento di Epicuro rimase pressoché inalterato nei secoli, quello stoico cambiò a tal punto che resta difficile paragonare i primi stoici, quelli del III secolo a.C., agli ultimi, gli stoici romani del I e del II secolo d.C. È bene quindi distinguere tre periodi:

– Gli stoici antichi: Zenone, Cleante e Crisippo.
– Gli stoici di mezzo: Panezio e Posidonio.
– I neostoici, o stoici romani: Seneca, Epitteto e Marc'Aurelio.

Lo stoicismo antico: Zenone, Cleante e Crisippo

Il primo stoico della nostra storia si chiamava Zenone: era nato a Cizio, nell'isola di Cipro, nel 333 o 332 a.C. ed era di razza semitica. Da quanto racconta Diogene Laerzio, non doveva essere molto bello: gracile di costituzione, il collo un po' storto, le gambe grosse, il colorito olivastro, aveva tutte le ragioni per non essere grato alla natura e aborrire una vita spensierata. Il padre, Mnasea, si occupava di import-export tra le opposte sponde dell'Asia e della Grecia e ogni volta che capitava ad Atene, cercava di procurarsi qualche libro di filosofia per il figlio. Tra l'altro pare che, da giovanotto, Zenone si sia recato a un oracolo e che alla domanda «Dove debbo andare?» la divinità abbia risposto «Vai dai morti!». Ora, escludendo che un oracolo possa averlo mandato a morire ammazzato, il messaggio fu interpretato come un invito a dedicarsi alla lettura dei filosofi morti, ovvero ai classici. Ebbe come maestri i platonici Senocrate e Polemone e il socratico Stilpone, ma quello che più di tutti influì su di lui fu il cinico Cratete. Ovviamente l'incontro merita di essere raccontato.[1]

Zenone era appena sbarcato ad Atene in seguito a un naufragio. Stava trasportando porpora dalla Fenicia e la nave gli si era incagliata nei pressi del Pireo. Il filosofo quel giorno doveva sentirsi distrutto: non amava il mestiere del padre, aveva trent'anni e riteneva di essere destinato a tutt'altro tipo di vita. Stanco moralmente e fisicamente, andò a riposarsi in una libreria, dove si mise a sfogliare i *Commentarii* di Senofonte. Fin dalle prime pagine restò affascinato dalla figura di Socrate. Lesse sempre più avidamente finché a un certo punto non poté fare a meno di esclamare: «Quanto mi piacerebbe conoscere un uomo del genere!».

[1] Diogene Laerzio, *Vite dei filosofi*, VII, I, 2-3.

E il libraio, indicandogli un vecchio che proprio in quel momento passava davanti al negozio, disse: «Segui quello lì». Era Cratete.

Per essere un buon cinico è necessario avere una buona dose di faccia tosta e Zenone era troppo perbenista per averla. Invano Cratete cercò di spingerlo perché diventasse più indipendente dal giudizio del prossimo. Un giorno gli mise in mano una pentola di terracotta, piena di lenticchie, e gli chiese di portarla attraverso il Ceramico. Il «fenicio» (così lo chiamava Cratete) si rifiutò di farlo, dicendo che non gli sembrava il compito di un filosofo, ma di uno schiavo; al che Cratete con un colpo di bastone gliela fracassò tra le mani e tutte le lenticchie gli finirono sulla tunica.

L'incontro con Cratete fu a ogni modo determinante. Zenone, ricordando quel giorno, era solito dire: «Feci un pessimo viaggio di mare e un ottimo naufragio». Dopo essere stato allievo di Cratete e di altri per un po' di anni, si mise in proprio e cominciò a dare lezioni nel Portico Dipinto di Polignoto, lo stesso dove qualche anno prima i Trenta Tiranni avevano giustiziato mille e quattrocento ateniesi. Ora, siccome in greco portico si dice *stoá*, i suoi allievi da quel momento furono chiamati stoici o, se preferite, «Quelli del Portico».

Di Zenone va ricordata la condotta morale, seria e irreprensibile: evitava perfino di amoreggiare con i ragazzini! Una o due prostitute in tutta la vita, tanto per verificare la sua normalità. Una notte che una bellissima suonatrice di flauto gli si presentò nuda nella camera da letto, cortesemente la dirottò verso il giaciglio del più giovane fra i suoi allievi, un certo Perseo. In verità lui era arcigno, sospettoso e taccagno. Non è da escludere che abbia cacciato via la suonatrice di flauto solo per il timore di doverla pagare.

Gli ateniesi, comunque, lo ammirarono a tal punto da donargli le chiavi della città, cingergli il capo con una corona d'oro ed erigergli, dopo la morte, una statua di bronzo.

Fu molto apprezzato anche dal re macedone Antigono, che, ogniqualvolta veniva ad Atene, non mancava mai di frequentare le sue lezioni. Tra Antigono e Zenone intercorse una nutrita corrispondenza: il re lo invitava a corte e il filosofo rifiutava l'invito con la scusa di essere troppo vecchio. Il fatto è che Zenone odiava le feste, la mondanità e qualsiasi tipo di riunione. Nelle tavolate era abituato a sedersi in disparte, perché diceva: «Così, almeno da un lato, posso sentirmi solo».

Come molti filosofi, coltivava il piacere della battuta. Una volta sorprese uno schiavo a rubare. Gli denudò la schiena e cominciò a bastonarlo. Il poveretto nel frattempo implorava pietà:

«Non è colpa mia, padrone, era scritto nel destino che dovessi rubare!»

«Sì, lo so:» gli rispose Zenone «ma era anche scritto che dovessi essere punito a bastonate.»

Un giorno, a un allievo che parlava in continuazione, disse:

«Abbiamo due orecchie e una sola bocca, proprio perché dobbiamo ascoltare di più e parlare di meno.»

Morì a settantadue anni, senza essersi mai ammalato, per una banale caduta all'uscita dalla scuola: inciampò lungo le scale del Portico. Cadendo, fece in tempo a dire: «Vengo, visto che mi chiami», e spirò.

Ebbe moltissimi allievi. Il comico Filemone, parlando di Zenone, commentava: «Ma che strana filosofia è questa dove c'è un maestro che insegna ad aver fame e tanti discepoli che lo sentono estasiati. Io come affamato sono un autodidatta!».[2] Tra i discepoli ricordiamo: il già nominato Perseo, anch'egli di Cizio, Aristone detto «Sirena», inventore della «teoria dell'indifferenza», Erillo di Calcedonia,

[2] *Ibid.*, VII, I, 27 (cfr. fr. 85 Kock).

Dionisio il Rinnegato, e gli scolarchi, suoi successori, Cleante e Crisippo.

Cleante di Asso, figlio di Fania, nato nel 331 a.C., faceva il pugile, occupazione davvero insolita per un filosofo dal quale si pretenderebbe un minimo di distacco.[3] Il fatto è che era poverissimo e in un modo o nell'altro era costretto a guadagnarsi qualcosa. Tra i tanti mestieri, ogni notte andava a raccogliere l'acqua nei pozzi per poi portarla ai fornai. Cleante era povero, ma così povero, che un giorno, durante una sfilata sportiva, un colpo di vento gli sollevò il mantello e tutti si accorsero che al di sotto era nudo e che non possedeva nemmeno una tunica. Episodi come questo non facevano che rafforzare la sua popolarità fra gli ateniesi. Lui, dal canto suo, era solito rimproverarsi da solo. A chi gli chiedeva con chi stesse parlando, rispondeva: «Rimprovero un vecchio testardo che ha molti capelli bianchi e poco cervello».

Divenne scolarca alla morte di Zenone intorno al 262, quando ormai era vicino ai settant'anni. Morì vecchissimo, quasi centenario. Diogene Laerzio racconta che, in seguito a una infiammazione alle gengive, i medici gli avevano consigliato un digiuno di due giorni. Trascorsi i quali, il vecchio non volle più ricominciare a mangiare: «Grazie lo stesso,» dichiarò «sono stato così bene in questi due giorni, che ho deciso di continuare».

Crisippo, figlio di Apollonio, anche lui asiatico, era nato a Soli nel 281 a.C.[4] Arrivò ad Atene come maratoneta per partecipare a delle gare e vi rimase come allievo, prima di

[3] *Ibid.*, VII, V, 168-176.
[4] *Ibid.*, VII, VII, 179-189.

Zenone e poi di Cleante. Aveva una intelligenza molto viva e pronta all'apprendimento. Quando parlava con Cleante di filosofia, era solito dire: «Tu dammi i principi che alle dimostrazioni ci penso io». Spesso e volentieri litigava con Cleante e subito dopo se ne pentiva. «Ho avuto fortuna in tutto nella vita,» sospirava «tranne che nel maestro!» Scrisse settecentocinque libri zeppi di citazioni. Apollodoro, «il tiranno del Giardino», li disprezzava dicendo: «Se alle opere di Crisippo togliamo le citazioni, non ci resta che la punteggiatura». Successe a Cleante nel 232. Era un dialettico imbattibile: portò la tecnica del sillogismo alle estreme conseguenze. Eccone un esempio:

Hai ciò che non perdesti,
Non perdesti le corna,
Hai le corna.

Morì a settantratré anni per aver troppo riso: un giorno, un asino che aveva in casa si mangiò una cesta di fichi, al che lui diede ordine ai servi di dargli anche del vino. Quando vide l'asino barcollare per il cortile, rise tanto che cadde stecchito per terra.

Gli stoici amavano dire che la filosofia poteva essere paragonata a un frutteto, dove il muro di cinta era la logica, gli alberi la fisica e i frutti l'etica. Ora, per verificare questa similitudine, vediamo se, mantenendoci entro i confini della logica, e arrampicandoci sui rami della fisica, possiamo arrivare a cogliere i frutti dell'etica.

La fisica

Anche per Zenone, come per Epicuro, il mondo è tutto fatto di materia, compreso Dio e l'anima. La materia che forma Dio è ovviamente roba di prima qualità, un fuoco eterno, e quella dell'anima un soffio caldo non meglio precisato (*pneúma*). La differenza sostanziale tra le due cosmologie sta nel fatto che il Dio stoico non è *esterno* all'universo, ma *coincide* con esso. «I discepoli di Zenone sostengono concordemente che Dio penetra tutta la realtà e che ora è intelligenza, ora è anima e ora è natura.»[5] Gli stoici dunque sono i primi *veri panteisti* della storia del pensiero occidentale.

La conseguenza più immediata di questo modo di pensare è il rifiuto del Caso, tanto caro a Epicuro, e il credere in una Natura Intelligente che *sa dove vuole arrivare*. Non c'è nulla in essa che sia casuale: alcuni animali vivono per essere mangiati, altri per darci esempi di coraggio. Perfino le cimici hanno una loro utilità: ci svegliano presto la mattina per impedirci di stare troppo a letto. In ogni aspetto della natura c'è una forza finalizzata al Bene. Zenone chiama questa forza animatrice *logos spermatikós*.[6] Attenzione però a non confondere il *logos* di Zenone con quello di Eraclito o con il *Nous* di Anassagora: qui non si tratta di una Mente che pensa solo ai fatti suoi, ma di un vero e proprio impulso a operare. Come se il *logos* potesse dire agli uomini: «Ragazzi, per favore, datevi da fare! Da questo momento in poi il vostro slogan non è più "l'essere è" ma "*l'essere deve essere*", e chi non ubbidisce peggio per lui». Pare che Zenone sia stato addirittura l'inventore della parola greca *kathékon* che vuol dire «dovere».

Per gli stoici i principi sono due: il *passivo* e l'*attivo*, ciò che patisce e ciò che agisce. A patire è solo la materia priva di qualità, ad agire è Dio o, se preferite, la ragione che penetra nella materia.

[5] *Ibid.*, VII, I, 136.
[6] Fr. 158 Arnim.

All'inizio dei tempi c'era solo Dio che, essendo un fuoco eterno, è sempre stato e sempre ci sarà; poi, man mano, vennero generate l'aria, l'acqua e la terra. In ogni fase Dio, in virtù della «commistione totale dei corpi» si è unito agli altri elementi. Questa perfetta unione, tra Dio e materia, è consentita dalla divisibilità all'infinito dei corpi. Tutto finirà un giorno a causa di una gigantesca conflagrazione, tranne Dio che darà inizio a un altro ciclo.[7]

Come è facile constatare, non c'è una sola cosa che piaccia a Epicuro e vada bene pure a Zenone. Per il primo la materia non è divisibile all'infinito, per il secondo sì. Uno segue Democrito, l'altro Eraclito. Uno dice che tutto è casuale e l'altro crede in un progetto finalistico. Gli epicurei parlano di *infiniti mondi*, e gli stoici di un *mondo solo e finito*. I primi accettano l'idea del vuoto, i secondi la negano. Zeus è fuori, no Zeus è dentro. Sembra quasi che il pensiero stoico sia nato apposta per fare un dispetto a Epicuro.

La seconda cosa strana è come una filosofia, che nasce materialistica, possa diventare, a un certo punto, un movimento religioso ad alto contenuto morale: nell'*Inno a Zeus* dello stoico Cleante, troviamo molti punti di contatto con il cristiano *Padre nostro*. Eccovi l'inizio:

O glorioso più d'ogni altro, o somma
Potenza eterna, Dio dai molti nomi,
Zeus, guida e signore della Natura,
Tu che con la Legge l'universo reggi,
Salve.[8]

Andando più avanti c'è pure un «A te il mirabile universo obbedisce, e del comando Tuo fa il volere» che ricorda tanto il nostro «sia fatta la Tua volontà».

[7] Plutarco, *De communibus notitiis contra Stoicos*, 31, 1066 a.
[8] Fr. 537 Arnim.

L'etica

«Tra il piacere e il dolore non c'è differenza, l'unica cosa che conta è la virtù.» Questa in due parole l'etica di Zenone. Come dire: tra avere mal di denti e far l'amore con Kim Basinger, in teoria, non dovrei nemmeno accorgermi della diversità, o, quanto meno, farci appena caso.

Il Bene e il Male hanno a che fare solo con lo spirito, tutte le altre cose, invece, riguardano il corpo e sono *moralmente indifferenti*, sia quelle positive (vita, salute, bellezza, ricchezza ecc.) che quelle negative (morte, malattia, bruttezza e povertà).

«Gli enti si dividono in *buoni, cattivi* e *indifferenti*. I *buoni* sono: intelligenza, temperanza, giustizia, coraggio e tutto ciò che è virtù. I *cattivi* sono: stoltezza, dissolutezza, ingiustizia, viltà e tutto ciò che è vizio. Gli *indifferenti* sono: la vita e la morte, la celebrità e l'anonimato, il dolore e il piacere, la ricchezza e la povertà, la salute e la malattia e cose simili a queste.»[9]

Per quanto riguarda gli *indifferenti*, gli stoici ci concedono, bontà loro, di poter distinguere tra valori *preferibili* e *non preferibili*. Un bacio, per esempio, è considerato *preferibile* a uno schiaffo, sempre che non pregiudichi un valore morale. L'importante, dice Zenone, è conservare in ogni situazione l'impassibilità (*apátheia*), ovvero l'indipendenza dalle passioni. «La passione è una cosa che ci allontana dalla ragione ed è contraria alla natura dell'anima.»[10] I veri beni sono solo quelli morali, quelli cioè in armonia con il *logos*.

Per chi se lo fosse già dimenticato, il *logos* è la razionalità insita nella natura che tende a portare l'universo a un livello di perfezione.

[9] Stobeo, *Antologia*, II, 57, 19 (cfr. i frr. 70 e 190 Arnim).
[10] Cicerone, *Tusculanae*, IV, 5, 11 (cfr. fr. 205 Arnim).

Tra le passioni, quattro sono le più pericolose: il piacere, il dolore, il desiderio e la paura. Poi ce ne sarebbero altre settanta, ma dato il carattere leggero di questo testo, eviteremo di elencarle.

Come già avevano detto i cinici, gli uomini dominati dalle passioni sono gli *insensati*. Il Saggio, invece, è felice in ogni situazione. Dice lo stoico: «Puoi imprigionarmi, torturarmi, uccidermi, e con questo? Che credi di aver fatto? Al massimo saresti capace di privarmi della vita, ma non di modificarmi l'anima!».[11] «Anito e Meleto mi possono uccidere ma non offendere.»[12] Il Saggio, in quanto privo di bisogni, è l'unico uomo veramente ricco, libero e monarca assoluto di se stesso.

Lo stoico non è virtuoso per fare del bene, ma fa del bene per essere virtuoso. Per il resto è inflessibile con sé e con gli altri. Considera la pietà un difetto, una debolezza da donnicciola. «La misericordia fa parte dei difetti e dei vizi dell'anima: misericordioso è l'uomo stolto e leggero. Il saggio non si commuove a favore di chicchessia e non condona a nessuno una colpa commessa. Non è da uomo forte lasciarsi vincere dalle preghiere e farsi distogliere da una giusta severità.»[13]

Insomma, lo stoico è meglio perderlo che trovarlo. Il guaio è che in giro se ne trovano moltissimi.

Lo stoicismo di mezzo: Panezio e Posidonio

Panezio nacque a Rodi, più o meno intorno al 185 a.C. Pare che da giovane abbia fatto il sacerdote, o il chierichet-

[11] Cfr. i frr. 544-656 Arnim.
[12] Epitteto, *Manuale*, LIII. (Fra le traduzioni italiane di quest'opera è celebre quella di Giacomo Leopardi.)
[13] Cfr. i frr. 213 sgg. Arnim.

to, del dio Posidone. Trasferitosi ad Atene, frequentò più scuole, tra cui l'Accademia e il Peripato, per poi buttarsi anima e corpo nello stoicismo, sotto la guida di un ennesimo Diogene, quello di Seleucia. A quarant'anni capitò a Roma ed entrò in un giro d'intellettuali, appassionati di grecità. In seguito, grazie all'amicizia dello storico Polibio, finì col diventare un *habitué* di casa Scipione. In quel periodo non era affatto insolito vedere un filosofo greco passeggiare o tenere una conferenza per le vie di Roma. Magari era malvisto da alcuni conservatori, ma in compenso veniva coccolato dai *radical chic*, che facevano a gara per esibirlo nelle feste. Panezio, e dopo qualche anno Posidonio, furono i primi messaggeri dello stoicismo greco nel mondo latino.[14]

Entrato a far parte dell'*entourage* di Scipione l'Emiliano, Panezio viaggiò con lui in Oriente e ne approfittò per confrontare gli insegnamenti di Zenone con le filosofie mediorientali. Ritornato ad Atene, nel 129, successe ad Antipatro alla guida della Stoa. Morì a settantasei anni. Tranne qualche frammento, non c'è rimasto nulla delle sue opere.

Posidonio, come quasi tutti gli stoici importanti, era anche lui un asiatico: nacque ad Apamea, in Siria, tra il 140 e il 130 a.C. Studiò ad Atene e fu discepolo di Panezio, Nell'86 il governo di Rodi lo mandò a Roma come ambasciatore.

Tra i filosofi greci, Posidonio è certamente quello che fece più viaggi: «Vide con gli occhi suoi il tramonto sull'Atlantico, oltre i limiti del mondo conosciuto, e la costa africana dove gli alberi sono carichi di scimmie».[15] In pratica

[14] M. Polenz, *La Stoa*, vol. I, trad. it. La Nuova Italia, Firenze 1967, pagg. 388 sgg.
[15] E.R. Bevan, *Stoics and Sceptics*, Oxford 1913, pag. 88.

era un tuttologo: insegnava meteorologia, etnologia, astronomia, psicologia, fisica, storia e ovviamente filosofia. La sua scuola sorse a Rodi e, in breve tempo, divenne così famosa che molti romani vi si recavano a completare gli studi. Tra costoro anche personaggi importanti come Pompeo e Cicerone.

Il giorno in cui si presentò Pompeo, Posidonio stava malissimo: aveva dolori artritici lancinanti; ma, da bravo stoico, accolse l'ospite col sorriso sulle labbra. «Non permetterò mai a un dolore fisico» disse «d'impedirmi di conoscere un uomo che ha fatto un così lungo viaggio per vedermi.» L'incontro, a detta di Cicerone, fu memorabile: Posidonio discusse a lungo sul principio della non esistenza del bene al di fuori della virtù. A ogni fitta particolarmente acuta, esclamava: «Non la spunterai, dolore! Per molesto che tu sia, non ti darò mai la soddisfazione di considerarti un male!».[16] E il dolore, infatti, non riuscì a spuntarla: morì che aveva quasi novant'anni.

Panezio e Posidonio, resi aperti dalla grande quantità di viaggi, incontri ed esperienze, finirono con l'ammorbidire l'intransigenza dei primi stoici e col rivalutare la categoria degli *indifferenti*. Come già aveva constatato a suo tempo Aristotele nell'*Etica Nicomachea*,[17] ammisero che «la virtù, da sola, non ce la faceva a garantire una buona esistenza, ma che occorrevano anche la salute e un po' di soldi».[18]

Panezio, venendo a Roma, era rimasto molto impressionato dalla moralità del popolo romano: abituato alla spregiudicatezza dei costumi greci, il modo di vivere del *civis*

[16] Cicerone, *Tusculanae*, II, 25, 61.
[17] Vedi sopra pag. 134.
[18] Diogene Laerzio, *Vite dei filosofi*, VII, I, 128 (cfr. Panezio, fr. 110 von Straaten).

romanus gli sembrò un felice ritorno «ai bei tempi antichi». Il romano di quel periodo, infatti, non ancora viziato dalle conquiste dell'Impero, era dotato, in definitiva, di molto senso pratico: non afferrava certe raffinatezze del pensiero greco, ma aveva un codice d'onore che coincideva abbastanza con l'insegnamento stoico. Oddio, intendiamoci: sull'indifferenza tra il piacere e il dolore non era d'accordo, ma sul dovere non aveva dubbi: prima la patria e la famiglia, e poi, se possibile, l'interesse personale.

L'innovazione maggiore dello stoicismo di mezzo fu la rivalutazione di Dio. Non più Zeus, la Natura e il Fato, tutti a pari merito, ma tre entità separate: primo Zeus, secondo la Natura e terzo il Fato.[19] Questa gerarchia consentirà al nuovo stoicismo di liberarsi del marchio materialistico che lo contrassegnava agli inizi e di trasformarsi in una vera e propria religione.

I neostoici: Seneca, Epitteto e Marc'Aurelio

Il nuovo stoicismo è prettamente nostrano. I suoi maggiori esponenti furono Seneca, Epitteto e Marc'Aurelio, tutti e tre residenti a Roma. Un nobile, uno schiavo e un imperatore: come a dire che gli stoici non badavano troppo alle differenze di classe.

Seneca nacque a Cordova nel 4 a.C. e si trasferì a Roma quando era ancora un bambino. Per un certo periodo visse anche in Egitto dove rimase fino al 32 d.C. Ebbe come maestri il neopitagorico Sozione e lo stoico Attalo. Per gua-

[19] Aezio, *Placita*, I, 28, 5.

dagnarsi da vivere fece prima l'avvocato e poi il politico, e fu appunto da questa seconda attività che cominciarono i suoi guai.

La politica, a quei tempi, era un mestiere pericoloso, e questo, non tanto per la pazzia degli imperatori, come generalmente si crede, quanto per l'ambizione delle loro donne: Livia, Agrippina e Messalina erano tre «brave» signore che, giorno e notte, soprattutto la notte, tramavano e suggerivano nomi di politici da inguaiare o eliminare. Seneca è un caso tipico: una prima volta, sotto Caligola, riuscì a stento a salvarsi la vita, mettendo in giro la voce che era tubercolotico e stava per morire; e una seconda, sotto Claudio, a causa di un pettegolezzo di Messalina (che lo accusava di avere avuto rapporti intimi con una zia dell'imperatore), finì col farsi otto anni di esilio in Corsica. Se però Messalina gli era nemica, Agrippina lo proteggeva: morta la prima, la seconda lo richiamò a Roma perché facesse da educatore al piccolo Nerone, allora dodicenne.

Quando nel 54 Agrippina avvelenò Claudio e mise sul trono Nerone, Seneca divenne automaticamente l'uomo politico più importante dell'Impero e tutto andò bene, finché un'altra gentildonna, Poppea, non cominciò a fargli la guerra. A questo punto, nauseato dall'ambiente della politica, si ritirò in campagna. Purtroppo le dimissioni non lo salvarono dai giochi di potere di chi era rimasto a Roma: accusato ingiustamente di aver partecipato alla congiura dei Pisoni, fu pregato di suicidarsi. Quando il messo di Nerone venne ad annunziargli il privilegio che gli era stato concesso, non fece tante storie: dettò a uno schiavo una lettera di addio ai romani, abbracciò la moglie, bevve la cicuta e, contemporaneamente, si aprì le vene nella vasca da bagno.[20] Aveva settant'anni e la morte ormai non gli

[20] Tacito, *Annali*, 15, 60 sgg.

faceva più paura. Ecco come la pensava in merito: «Conosco la morte da tempo: la morte è il non essere. Dopo di me accadrà ciò che è stato prima di me. Se prima non abbiamo sofferto, vuol dire che non soffriremo neanche dopo. Siamo come una lucerna che, spegnendosi, non può stare peggio di quando non era ancora accesa. Solo nel breve intermezzo possiamo essere sensibili al male».[21]

Ho sempre avuto il sospetto che Seneca sia stato inserito tra gli stoici solo per il modo con il quale ha affrontato la morte. Considerando, infatti, la sua vita, non si può non rilevare una contraddizione imbarazzante tra il pensiero e l'azione. In altre parole, Seneca predicava bene e razzolava male: mentre con una mano scriveva a un amico: «Spesso i ricchi non valgono di più delle borse che usano per portare in giro il denaro: essi, più che uomini, sono accessori»,[22] con l'altra si dava da fare per accrescere continuamente il proprio patrimonio. A sentire Tacito, una volta venne addirittura accusato di influenzare i moribondi a Palazzo perché lo nominassero erede nei testamenti.[23] Anche il suo interesse per la politica non si conciliava molto con l'*apátheia*, con il distacco dalle passioni. L'unica ipotesi possibile è che sia diventato filosofo praticante solo negli ultimi anni, quando decise di ritirarsi a vita privata.

Epitteto era lo schiavo di uno schiavo, nel senso che il suo padrone, Epafrodito, era un liberto di Nerone. Nacque a Ierapoli, in Frigia, intorno al 50 d.C. e, da quanto ne sappiamo, fu fatto schiavo e tradotto a Roma quand'era ancora un ragazzo. Non ci si deve meravigliare del fatto

[21] Seneca, *Lettere a Lucilio*, 54, 4-5 (si può consultare l'edizione Rizzoli, Milano 1966).
[22] *Ibid.*, 87, 18.
[23] Tacito, *Annali*, 13, 42.

che amasse la filosofia, dal momento che molti schiavi all'epoca vi si dedicavano: la loro condizione disperata, in un certo senso, li predisponeva ad apprezzare il distacco dalle vicende umane. Tanto per fare dei nomi, ricordiamo: Pompilo, lo schiavo di Teofrasto, Mis, quello di Epicuro, Diagora che fu acquistato da Democrito per 10.000 dracme, Perseo, lo schiavo di Zenone e altri ancora come Bione, Menippo e Fedone.[24] In proposito è stata addirittura scritta un'opera in due volumi intitolata *Gli schiavi e la filosofia*.[25]

Su Epitteto sono fioriti molti aneddoti. Fra essi ce ne è uno, sicuramente inventato, che siamo lieti comunque di riferire perché è illuminante sul carattere degli stoici.

Epafrodito, il suo padrone, volendolo punire per qualche motivo, gli torce una gamba.

«Guarda che si rompe!» lo avvisa il filosofo, ma il padrone non gli dà retta.

«Guarda che si rompe!» ripete di nuovo il poveretto.

A un certo punto si sente un crac.

«Te l'avevo detto che si sarebbe rotta!» commenta Epitteto senza cambiare tono di voce.

Questa storia, come dicevo, non dovrebbe essere vera, se non altro perché il presunto torturatore, Epafrodito, non solo lo rese libero, ma lo fece addirittura studiare a proprie spese. Probabilmente, il fatto che il filosofo fosse davvero zoppo può aver suggerito a qualcuno lo spunto per l'aneddoto.

Il primo maestro di Epitteto fu il cavaliere Caio Musonio Rufo, di origine etrusca, pacifista *ante litteram*, praticamente un pazzo, che in un'epoca in cui i *cives romani* erano

[24] Aulo Gellio, *Notti attiche*, II, 18.
[25] L'opera sarebbe stata scritta da Ermippo (cfr. Jacob Burckhardt, *Storia della civiltà greca*, cit., vol. II, pag. 116).

orgogliosi, sopra ogni cosa, della loro romanità, andava in giro dicendo che tutti i popoli della terra erano uguali: spesso la sera tornava a casa un po' malconcio per le percosse subite. Anche Epitteto, una volta ottenuta la libertà, si mise a predicare sulla pubblica piazza. La sua attività oratoria, comunque, pare abbia lasciato i romani alquanto indifferenti, anche perché la capitale del mondo, in quel periodo, era piena di predicatori girovaghi che venivano presi quotidianamente a pernacchie. «Vuoi filosofare?» diceva Epitteto. «Preparati a essere schernito. Sappi però che quegli stessi che oggi ti deridono, domani diventeranno tuoi ammiratori.»[26] Sennonché nell'89 l'imperatore Domiziano, invece di ammirarlo, lo cacciò via insieme a tutti gli altri filosofi, e il povero Epitteto finì a Nicopoli, in Epiro, dove fonderà la sua prima scuola stoica. Col tempo il filosofo divenne così celebre che perfino l'imperatore Adriano e il generale romano Arriano di Nicomedia gli fecero visita. Quest'ultimo, poi, abbandonò la carriera militare e divenne il suo discepolo prediletto.

L'incontro con Arriano fu determinante: Epitteto, come Socrate, non amava (o non sapeva) scrivere, e se non fosse stato per il generale stenografo, probabilmente non sarebbero arrivati sino a noi i quattro libri delle *Dissertationes* e il famoso *Manuale* che tanti secoli dopo verrà tradotto anche da Giacomo Leopardi.

Il pensiero di Epitteto si basava essenzialmente su questo principio: alcune cose sono in nostro potere, altre no. Sono in nostro potere: l'opinione, l'azione, il desiderio e l'avversione. Non sono in nostro potere: il corpo, le ricchezze e le cariche ufficiali, quindi è del tutto inutile dannarsi per loro. Se stai male e sei povero, sbagli a dolertene: sono cose che non dipendono da te.

26 Epitteto, *Manuale*, XXII.

Ed ecco altre massime significative, tratte dal suo *Manuale*:

«Se ti affezioni a una pentola, pur sapendo che è di terracotta, non ti lamentare se poi si rompe. Nello stesso modo, quando baci tua moglie o tuo figlio, di' sempre a te stesso: "Sto baciando un mortale", affinché, se poi muoiono, tu non abbia a turbarti.»[27]

«Quando vai al bagno pubblico, non protestare se qualcuno ti spruzza. Lo sai che in quei luoghi c'è sempre chi urla, chi ruba e chi spinge; ed è così anche nella vita.»[28]

«Non dire mai di una cosa o di una persona: "L'ho perduta", di' sempre: "L'ho restituita".»[29]

«Ricordati che in questa vita sei un attore a cui è stato affidato un ruolo ben preciso: cerca di recitarlo bene, a prescindere dal fatto che la tua parte sia lunga o breve, di pezzente o di magistrato, d'invalido o di persona normale.»[30]

«Essere sempre occupato ad accudire il corpo è segno di misera indole.»[31]

«Anito e Meleto possono uccidermi, ma mai offendermi.»[32]

Marc'Aurelio cominciò a vivere da stoico quando aveva appena compiuto dodici anni: decise di fare a meno del letto e di dormire per terra. Nato a Roma nel 121 da una famiglia nobile e ricca, fu designato futuro Cesare dall'imperatore Adriano e allevato per questa carica dal nonno Antonino Pio, anche lui imperatore. Si dice che Marco

[27] *Ibid.*, III.
[28] *Ibid.*, IV.
[29] *Ibid.*, XI.
[30] *Ibid.*, XVII.
[31] *Ibid.*, XLI.
[32] *Ibid.*, LIII.

avesse intorno qualcosa come diciassette insegnanti; tra questi uno stoico, un certo Giunio Rustico.

Salito al potere quando aveva quarant'anni, cercò di fare tutto il bene possibile, ma non sempre gli riuscì facile. Se Epitteto aveva avuto dalla malasorte la schiavitù e la zoppia, Marc'Aurelio fu afflitto da una moglie infedele, Faustina, che se la faceva con i gladiatori, e da un figlio, Commodo, probabilmente non suo, che era un autentico criminale. Li amò lo stesso teneramente.

Malgrado il carattere pacifico, il filosofo fu costretto a guerreggiare contro i Parti, i Quadi e i Marcomanni, e a dire il vero se la cavò abbastanza bene. Durante una di queste guerre, nel 181, si buscò la peste, ma non ne fece un dramma: sdraiatosi su un letto, si tirò il lenzuolo sul capo e attese la morte.

L'impressione è che Marc'Aurelio sia passato alla storia della filosofia più perché era un imperatore romano che per l'originalità del suo pensiero. Lo scritto che ci ha lasciato, dal titolo *Tá eis eautón* (A se stesso), è un insieme di pensieri edificanti del tipo: «Ogni cosa che accade, accade giustamente»[33] oppure «Le opere degli Dei sono piene di provvidenza»,[34] mescolate a considerazioni cariche di un malinconico pessimismo sulla precarietà della vita: «Oh come rapidamente, in un attimo, svaniscono tutte le cose, i corpi nello spazio e il loro ricordo nel tempo!»,[35] oppure «L'Asia e l'Europa sono angoli dell'Universo; l'intero mare è solo una goccia dell'Universo; il monte Athos è una zolla dell'Universo; ogni attimo un punto dell'eternità. Tutto è così piccolo, mutabile, destinato a svanire».[36] Insomma era un imperatore triste: dello stoicismo vero e

[33] Marc'Aurelio, *Pensieri*, IV, 10 (trad. it. a cura di E. Pinto, Libreria Scientifica Editrice, Napoli 1968).
[34] *Ibid.*, II, 3.
[35] *Ibid.*, II, 12.
[36] *Ibid.*, VI, 36.

proprio aveva conservato soprattutto il rigore moralistico del comportamento. Convinto che ogni evento sia stato già deciso dagli Dei, il buon Marco accetta ogni avversità con rassegnazione cristiana. Quale differenza di stile con la morale di un Lucrezio che, ritenendo invece la vita un miracolo puramente casuale, cerca di viverla al meglio, approfittando dei momenti favorevoli. Marc'Aurelio non segna solo la fine dello stoicismo, ma anche quella del pensare greco: il cristianesimo avanza inesorabile e per secoli e secoli detterà la sua legge.

Alcune riflessioni sugli stoici e gli epicurei

Chi sono oggi gli stoici e gli epicurei? Come si fa a riconoscerli? Che faccia hanno? Non è molto difficile. Lo stoico è un individuo che crede fermamente nella sua missione morale: *deve* compierla. Egli ha sempre bisogno di un Grande Progetto che dia senso alla sua vita. Nel timore, però, che questo Progetto si possa realizzare sul serio, lo stoico in genere se lo sceglie difficilissimo, possibilmente irrealizzabile, e comunque non alla portata di un normale individuo. L'importante è poter soffrire in nome di qualcosa che abbia un significato morale.

Sono stoici tutti quelli che credono nel Grande Amore, unico, eterno e indissolubile. È ovvio che non lo trovano mai, questo però non li esime dal cercarlo assiduamente, senza mai scendere a compromessi. Il loro motto è: «O Tutto o Niente».

Sono stoici i cristiani, quelli veri. Essi hanno come obiettivo il Paradiso e desiderano guadagnarselo attraverso la mortificazione della carne e l'elevazione dello spirito. Fra i loro slogan preferiti: «Siamo nati per soffrire» e «Gli ultimi saranno i primi».

Sono stoici i marxisti: lo scopo della loro vita è ottenere la Giustizia per Tutti, nessuno escluso. Anche qui ci troviamo di fronte a un fine non raggiungibile a breve scadenza: il Sole dell'Avvenire, lo dice la parola stessa, è una cosa che riguarda l'Avvenire. Nell'attesa sono previste rivoluzioni, dittature del proletariato e altre fasi intermedie alquanto incresciose.

È stoico Marco Pannella: lui vorrebbe risolvere soprattutto il problema della Fame nel Mondo, di tutto il Mondo. Se gli proponessero un programma più limitato, ad esempio la fame nel quartiere napoletano di San Carlo all'Arena, lo rifiuterebbe immediatamente, se non altro perché rischierebbe di realizzarlo. Nel frattempo, vivendo in un paese dove scarseggia la tortura, è costretto ad autotorturarsi, quindi digiuna, s'imbavaglia da solo e soffre.

L'epicureo è di tutt'altra pasta: cosciente della precarietà della vita, si fissa piccoli traguardi da raggiungere a breve termine.

È epicureo l'impiegato che chiede un aumento di stipendio per risolvere un suo problema concreto entro l'anno in corso.

È epicureo chi dà il suo voto di preferenza a un partito che, invece di promettergli Giustizia, Libertà e Felicità, gli propone un miglioramento graduale della sua vita, attraverso una politica fatta di piccoli passi.

È epicureo chi continua a vivere con un partner, del quale non è propriamente innamorato, ma con il quale ha concordato un *modus vivendi* di reciproca sopportazione.

I vantaggi e gli svantaggi di questi modi di essere sono equamente distribuiti tra le due correnti di pensiero. In genere gli epicurei sono individui più sereni, più in pace col mondo, quasi sempre sorridenti. Gli stoici invece sono ottimi lavoratori: anche se giocano a briscola, lo fanno col massimo impegno. L'epicureo disdegna la politica attiva e difficilmente riesce come capitano d'industria: è più un campione del privato, che della società civile. Pirelli, per diventare Pirelli, sarà stato sicuramente uno stoico: un epicureo al suo posto si sarebbe accontentato di fare il gommista.

Prima di unirsi in matrimonio, non sarebbe male se entrambi i partner, invece di badare al segno zodiacale, s'informassero sull'indice di stoicismo e di epicureismo del futuro coniuge.

X
Gli scettici

Pirrone

Pirrone, figlio di Plistarco, nacque a Elide fra il 365 e il 360 a.C. nella cittadina che qualche anno prima aveva visto fiorire la scuola di Fedone.[1] Da giovane cercò di guadagnarsi da vivere facendo il pittore, ma smise quasi subito, anche perché, a quanto pare, non era molto apprezzato dai suoi concittadini: secondo Antigono di Caristo, alcuni portatori di fiaccola, da lui disegnati nel Ginnasio di Elide erano una mezza schifezza.[2] Buttata l'arte alle ortiche, il ragazzo si dette alla filosofia: frequentò prima Brisone, un pensatore socratico, poi Anassarco di Abdera, un allievo di Democrito.

Nel 334, sempre con Anassarco, prese parte alla spedizione di Alessandro Magno in Oriente: viaggiò per dieci anni in lungo e in largo ed ebbe modo di venire a contatto con molte dottrine orientali. In quel periodo, come ancora oggi del resto, l'Oriente era attraversato da individui stranissimi che praticavano il distacco dalle passioni: erano sciamani, guru e monaci di religioni contemplative. Racconta Plutarco che in Persia, all'arrivo dei soldati macedoni, un sacerdote di nome Calano chiese che gli fosse eretto un rogo a forma di altare, e dopo aver sacrificato agli Dei e augurato agli invasori un buon proseguimento di giornata,

[1] Diogene Laerzio, *Vite dei filosofi*, IX, XI, 61.
[2] *Ibid.*, IX, XI, 62.

si sdraiò tra le fiamme, si coprì il capo con un velo, e si lasciò bruciare vivo senza muovere un muscolo.[3] Pirrone, che non aveva mai visto all'opera un bonzo, rimase sconvolto dalla scena, ma comprese che, con la sola forza di volontà, era possibile dominare il dolore, pur fra i tormenti.

Successivamente, giunto in India, incontrò altri pensatori e filosofi, Gimnosofisti, Taoisti e personaggi del genere. Anche colà si rese conto che, per raggiungere la serenità definitiva, bisognava praticare i *wu wei*, il non agire.

Tornò in patria quasi quarantenne: fondò la prima scuola di scetticismo a Elide, sua città natale. Oddio: non è che fosse proprio una scuola, sul tipo, tanto per intenderci, della Stoa o del Giardino: la verità è che lui amava starsene per i fatti suoi; salvo che a volte, quando proprio non ce la faceva, si metteva a parlare ad alta voce, e siccome era sempre attorniato da giovani e ammiratori, finiva, non volendo, col fare lezione. I suoi seguaci furono chiamati *pirroniani, scettici* o *zetici*. Quest'ultimo termine significa «indagatori che indagano e non trovano mai».[4]

I pilastri del suo pensiero erano: la sospensione del giudizio (l'*epoché*), ovvero lo stato mentale per cui è impossibile respingere o accettare le idee degli altri, la facoltà di non esprimersi (l'*afasia*) e l'imperturbabilità (l'*ataraxia*), ovvero l'assenza di angoscia. Il suo pensiero in due parole è questo: non esistono valori o verità che autorizzino a mettere la mano sul fuoco: nulla per natura può essere considerato brutto o bello, buono o cattivo, giusto o ingiusto, vero o falso, e non c'è differenza alcuna tra godere di ottima salute ed essere gravemente malati.[5]

[3] Plutarco, *Vita di Alessandro*, 69 (in *Vite parallele*, cit.).
[4] Diogene Laerzio, *Vite dei filosofi*, IX, XI, 70.
[5] Cicerone, *De finibus*, II, XIII, 43.

Gli aneddoti sulla imperturbabilità di Pirrone sono innumerevoli e Diogene Laerzio è, come sempre, il nostro informatore prediletto.

Pirrone era indifferente a tutto quello che gli accadeva intorno e, con molta probabilità, era anche un po' noioso. Se durante una discussione il suo interlocutore lo abbandonava, la cosa non lo preoccupava minimamente: proseguiva imperterrito a parlare e a fare domande. Un giorno, mentre passeggiava con il suo maestro, Anassarco, costui cadde in un fosso ricolmo di melma. Ebbene, Pirrone non si scompose: continuò a discorrere come se nulla fosse accaduto. Dopo un po' Anassarco, tutto infangato, lo raggiunse e, ben diversamente da come avremmo fatto noi, si congratulò con il discepolo per l'impassibilità dimostrata.[6] Resta sempre il sospetto che, oltre a essere imperturbabile, fosse anche un po' distratto: Diogene Laerzio racconta che, quando usciva di casa, non si curava di nulla e correva continuamente il rischio di finire sotto un carro o in un fosso; visse incolume fino a novant'anni,[7] anche perché gli allievi (forse a turno) non lo perdevano di vista un istante.

Non lasciò nessuno scritto; scrissero per lui i discepoli Timone, Enesidemo, Numenio e altri.

È naturale che gli scettici richiamino alla mente i sofisti: se non altro perché entrambi mettevano in discussione l'esistenza della Verità. Tuttavia, esaminando con attenzione il pensiero delle due scuole, ci rendiamo subito conto della loro diversità. Come dire? I sofisti erano più «avvocati», più «liberi professionisti», in taluni casi più «marchettari», mentre gli scettici erano più «intellettuali». I primi negavano la Verità e valorizzavano la Parola per aumentare il loro

[6] Diogene Laerzio, *Vite dei filosofi*, IX, XI, 63.
[7] *Ibid.*, IX, XI, 62.

potere contrattuale, i secondi, invece, intendevano raggiungere l'*apátheia*, il distacco dalle passioni. I sofisti trasferivano la fiducia dalla Verità all'Uomo («L'uomo è la misura di tutte le cose»), gli scettici, più radicalmente, non davano fiducia a niente e a nessuno, per principio, né alla Verità, né all'Uomo, né alla Parola. Il loro motto avrebbe potuto essere: «L'essere non è, e non me ne importa niente!»; o, come diceva Timone, «Non solo non m'interessa il perché delle cose, ma nemmeno il perché del perché».[8]

Con gli stoici, semmai, gli scettici avevano in comune qualcosa: il distacco dal corpo. Un giorno a Cipro, durante un banchetto, il tiranno Nicocreonte chiese ad Anassarco se aveva gradito il pranzo, e costui, con la massima faccia tosta, rispose che lo avrebbe trovato ancora più di suo gusto se, insieme alla frutta, gli avessero servito anche la testa di un tiranno. Lì per lì Nicocreonte fece finta di niente. Qualche anno dopo, però, essendo naufragato Anassarco sulle spiagge di Cipro, riuscì a vendicarsi: imprigionatolo dentro un enorme mortaio, lo fece colpire con pestelli di ferro dai suoi carnefici. Si dice che, durante la tortura, il poveretto abbia urlato: «Puoi pestare il sacco di Anassarco, ma non Anassarco».[9]

Più o meno alla stessa categoria appartiene la famosa gag di Totò, nota anche come «lo sketch di Pasquale». Due amici s'incontrano: uno è Totò, l'altro è Mario Castellani, la sua «spalla» di fiducia. Totò è in preda a una risata convulsa.

«Perché ridi in questo modo?» chiede Castellani.

«Perché dieci minuti fa» risponde Totò «è venuto un pazzo, un energumeno, che dopo aver gridato "Pasquale, sei una carogna!" mi ha dato un cazzotto e mi ha rotto la faccia.»

[8] Aristocle, *Apud Euseb. Praep. evang.*, XIV, 759 c (cfr. *Scettici antichi*, a cura di A. Russo, UTET, Torino 1978, pag. 102).
[9] Diogene Laerzio, *Vite dei filosofi*, IX, X, 59.

«E tu che hai fatto?»

«Niente: che volevi che facessi? Mi sono messo a ridere.»

«E quello che ha detto?»

«Mi ha urlato "Pasquale sei un fetente: ti debbo ammazzare di botte!" e mi ha mollato altri quattro cazzotti.»

«E tu che hai fatto?»

«Mi sono scompisciato dalle risate. Ho pensato tra me e me: "Chissà questo stupido dove vuole arrivare?".»

«E lui?»

«Insisteva a picchiarmi e mentre mi prendeva a calci, continuava a ripetere: "Pasquale sei una carogna, ti voglio vedere morto!".»

«E tu perché non ti sei ribellato?»

«E che, sono Pasquale, io?!»

Timone

Timone di Fliunte, figlio di Timarco, era un ballerino. Nacque nel 322, anno più anno meno, e si trasferì ben presto a Megara dove seguì le lezioni di Stilpone.[10] Era orbo e amante del vino. Si convertì allo scetticismo dopo aver conosciuto Pirrone. Il loro incontro avvenne per strada, mentre andavano allo stadio. Aristocle, un peripatetico che l'odiava, commenta l'episodio dicendo: «O Timone, o uomo dappoco, tu non credi in nulla, come fai a dire di aver conosciuto Pirrone? E lo stesso stupendo Pirrone, quel fausto dì, mentre si avviava a vedere le gare pitiche, sapeva di andarci o camminava a casaccio, come un rimbambito?».[11]

Di Timone di Fliunte sono arrivati a noi solo pochi frammenti; tra questi una frase: «Che il miele sia dolce mi rifiu-

[10] *Ibid.*, IX, XII, 109.
[11] Aristocle, *Apud Euseb.*, cit., XIV, 761 a.

to di asserirlo, ma che mi sembri dolce lo posso garantire».[12] Gli scettici come Pirrone, quindi, non negano l'esistenza dell'apparire, ma solo quella dell'essere, della verità incontrovertibile. Uno scettico, al limite, potrebbe anche militare in un'istituzione religiosa o politica, fare il sacerdote, il soldato o l'assessore, l'importante è che assolva i suoi compiti senza credere dogmaticamente a quello che sta facendo. Saremmo forse tentati di condannare senza appello questo modo di pensare, come immorale. Resistiamo invece alla tentazione e immaginiamo per un attimo quali cambiamenti avrebbe la nostra vita se, in alcune situazioni, prima di partire lancia in resta, potessimo fermarci un attimo a pensare: «Ciò che io adesso credo assolutamente vero, domani potrebbe essere solo probabile».

Ebbene, questa è, grosso modo, l'*epoché*: la sospensione del giudizio. Applicatela al fanatismo delle Brigate rosse, all'ubriacatura maoista del '68 e alle varie persecuzioni religiose che hanno insanguinato la storia, e immaginatene i risultati.

Dopo Timone lo scetticismo passa la mano e il banco viene chiamato da un certo Arcesilao, figlio di Seute, nato a Pitane nel 315 a.C., fondatore dell'Accademia di mezzo.[13] Tutto ci si poteva aspettare dal pensiero greco, tranne che a guidare la pattuglia degli scettici venisse chiamato un platonico. In pratica era come scavalcare una specie di «muro di Berlino»: Arcesilao passava dal mondo sovrasensibile di Platone a quello pirroniano della negazione totale. Certo, a pensarci bene, Socrate il «sapere di non sapere» lo aveva già usato, ma in chiave ironica e sempre come grimaldello per forzare la scoperta di una verità morale (la cui esistenza,

[12] Diogene Laerzio, *Vite dei filosofi*, IX, XI, 105.
[13] *Ibid.*, IV, VI, 28.

comunque, non veniva mai messa in discussione). Arcesilao fuse le due dottrine e colorì di scetticismo tutta l'Accademia.

Tra gli accademico-scettici merita di essere ricordato Carneade, il «chi era costui» di don Abbondio. Con Carneade siamo in pieno secondo secolo avanti Cristo: il filosofo infatti nacque a Cirene nel 213 e morì nel 128.[14] Si dice che fosse un uomo di vasta cultura e di eccezionale abilità oratoria. La sua fama è legata soprattutto a un viaggio che fece a Roma come ambasciatore insieme all'aristotelico Critolao e allo stoico Diogene di Babilonia. Scopo del viaggio era chiedere l'annullamento di una penale di cinquanta talenti inflitta alla città di Atene. Trovandosi nella capitale del mondo, i tre filosofi pensarono bene di mostrare ai romani quanto fossero bravi i greci nell'arte dialettica, per cui, recatisi al Foro, si esibirono in alcuni antiloghi, ovvero in conferenze durante le quali lo stesso oratore nella prima parte sosteneva una tesi, e nella seconda la tesi opposta. I giovani romani, un po' perché affascinati da tutto quello che veniva dall'Ellade, e un po' perché erano più disponibili alle novità, applaudirono entusiasti; non così gli anziani, e in particolare Catone il Vecchio, che vedeva negli intellettuali un pericolo di corruzione per la Repubblica. Proprio perché allarmato dal successo dei tre filosofi, Catone si rivolse al Senato e tanto strepitò che li fece cacciare via dal paese come indesiderabili.[15]

Così era fatto Catone, basti pensare che considerava virtuosi solo coloro che vivevano nella massima austerità. Per il resto non aveva un briciolo di pietà né di tolleranza: una volta fece espellere un senatore, Manilio, perché lo aveva visto abbracciare la moglie sulla pubblica piazza. Conside-

[14] *Ibid.*, IV, IX, 62.
[15] Plutarco, *Vita di Marco Catone*, 22-23.

rava gli schiavi come bestie da soma: li aizzava l'uno contro l'altro per poterli meglio sottomettere, e quando erano vecchi preferiva venderli piuttosto che continuare a mantenerli. Se qualcuno di loro sgarrava, lo faceva condannare a morte dai compagni per poi strangolarlo con le sue stesse mani. Diffidava della filosofia e di chiunque avesse delle idee.[16]

Un'ultima curiosità sugli scettici: i quali già non credevano in nulla, figuriamoci che opinione potevano avere degli indovini. Ecco in proposito che cosa ne pensava uno di loro, Favorino di Arelate (80-160 d.C.). L'invettiva è diretta contro gli astrologi.

«... questa sorta di trucchi e di mariolerie è stata ideata da scrocconi e da gente che si guadagna da vivere con le proprie menzogne. Costoro, per il solo fatto che alcuni fenomeni terrestri come le maree dipendono dalla luna, pretendono di farci credere che anche tutte le altre faccende umane, piccole o grandi che siano, sarebbero governate dagli astri. Ma a me sembra sciocco pensare che, solo perché la luna innalza un po' il livello del mare, anche la vertenza giudiziaria che uno ha, ad esempio, con i vicini per le condutture dell'acqua, o con un coinquilino per una parete in comune, possa avere le sue redini in cielo.»[17]

[16] *Ibid.*, 5; 17; 21.
[17] Aulo Gellio, *Notti attiche*, XIV, 1 (cfr. fr. 3 Barigazzi).

XI
Il maestro Riccardo Colella

Il mio incontro col maestro Riccardo Colella fu del tutto fortuito: ero entrato in una salumeria del Vomero Vecchio, per comprare una mozzarella di bufala, quando assistetti a questa conversazione.

«Maestro,» disse don Carmine, il salumiere, dopo aver consegnato un pacchetto a un omino con gli occhiali «sono tre etti giusti e vengono cinquemila e quattrocento lire.»

«Non ho capito:» rispose l'omino «perché vi dovrei dare cinquemila e quattrocento lire?»

«Per il prosciutto...»

«Quale prosciutto?»

«Quello che tenete in mano.»

«Don Carmine, a voi *sembra* che io tenga in mano del prosciutto, ma non è vero. Quindi non vi do una lira.»

«Va be', maestro, questa è la solita storia!» sbuffò don Carmine. «Il prosciutto ve l'ho dato cinque minuti fa. C'è qui il signore che può fare da testimone. *C'aggia fà?* Vi debbo far firmare una ricevuta ogni volta che vi consegno qualcosa?»

«Don Carmine, io vorrei sapere come fate a essere così sicuro che mi avete dato tre etti di prosciutto. Al massimo potreste avanzare l'ipotesi che *è probabile* che mi abbiate dato qualcosa che *potrebbe* anche essere un po' di prosciutto.»

«È probabile, non è probabile! Maestro Colella: *mo' ve levo o' pacchetto 'a mano*, e poi vediamo se è o non è prosciutto!» esclama il salumiere, fingendosi disperato.

«Don Carmine,» risponde il maestro Colella con la massima calma «io già ve l'ho spiegato l'altro ieri: non c'è nulla nella vita di cui possiate essere sicuro. Ditemi una sola cosa che secondo voi è sicura e io vi pago il prosciutto due volte.»

«Sono sicuro che cinque minuti fa vi ho messo in mano tre etti di prosciutto» risponde don Carmine senza pensarci nemmeno un attimo.

«E io adesso vi faccio un'ipotesi che vi potrebbe dimostrare il contrario, che non è vero che mi avete dato il prosciutto, ma che *pensate solo di avermelo dato*.»

«*Voglio proprio sentì*.»

«Voi credete in Dio?»

«Certo che ci credo! Come credo che cinque minuti fa vi ho dato tre etti di...»

«E giustamente pensate che sia onnipotente?» lo interrompe il maestro.

«Ebbè, per forza.»

«Quindi lo ritenete in grado di creare un mondo quando vuole Lui e come vuole Lui: grande, piccolo, abitato, deserto, inospitale, tecnologico...»

«Come vuole Lui» taglia corto il salumiere.

«Allora supponiamo che proprio in questo momento, Dio decide di creare un mondo uguale al nostro, con tutte le cose che adesso sono intorno a noi: le stelle, il sole, i pianeti, i continenti, Napoli, il Vomero, la vostra salumeria, voi, io e il prosciutto. Lo potrebbe fare o non lo potrebbe fare?»

«E come non lo potrebbe fare!»

«Benissimo,» continua il maestro, che già sorride pensando alla faccia del salumiere quando il suo discorso sarà concluso «e dal momento che Dio ha deciso di creare un mondo già

funzionante, dovrebbe creare anche degli uomini già funzionanti, in possesso cioè di una memoria storica di partenza...»

«Come sarebbe a dire: una memoria storica?»

«Una memoria che ci dia l'*impressione* di aver già vissuto una vita, anche se non l'abbiamo vissuta:» ribadisce il maestro «in altre parole, è come se Dio, nel crearci dal nulla, per farci vivere come siamo in questo momento, avesse immesso nel nostro cervello i ricordi di un passato vissuto, anche se poi, in realtà, questo passato non è mai esistito.»

«E con questo?» chiede il salumiere che ormai si è perso nel ragionamento.

«Con questo» conclude il maestro «voi non mi avete dato nessun prosciutto. Vi *sembra* solo di avermelo dato.»

«Ma se ve l'ho dato cinque minuti fa.»

«Cinque minuti fa non eravate ancora nato.»

«*Va buò*, maestro, portatevi il prosciutto e statevi bene: io poi me la vedo con la vostra signora. Però ricordatevi che la prossima volta finché non *mi sembrerà* che mi avete dato cinquemila e quattrocento lire, a voi non *vi sembrerà* di aver avuto il prosciutto.»

Il personaggio era troppo invitante perché me lo lasciassi sfuggire. Prima di avvicinarlo mi feci raccontare tutto di lui dal salumiere e dalla moglie del salumiere.

«È tanto una brava persona,» disse don Carmine «fa così per divertirsi, ma poi paga fino all'ultima lira. Fossero tutti come lui! Ce ne sono alcuni invece che, o non pagano, o quando pagano, fanno subito un altro debito ancora più grande.»

«Ma che fa di mestiere?» chiesi io.

«È maestro di musica: si chiama Riccardo Colella, insegna al Pimentel Fonseca, l'istituto magistrale, è sposato e tiene un figlio.»

«Sì, però è ateo,» sussurrò la moglie, accennando a farsi il segno della croce «e non ha voluto battezzare il figlio. Adesso il ragazzo tiene diciotto anni e se muore per una disgrazia corre il rischio di andare all'inferno.»

«Il maestro Colella crede nel "battesimo a consuntivo",» mi spiegò don Carmine «dice che quando uno sta per morire, a seconda di come gli è andata la vita, deve decidere se si vuole battezzare o no. Così quando viene il prete per l'estrema unzione, può dargli il battesimo e l'olio santo tutto insieme.»

«Acqua e olio nello stesso momento: Gesù, Gesù, aiutalo tu!»

Il maestro Colella mi accolse a casa sua, nel pomeriggio, con grande cortesia. La signora Amelia, sua moglie, mi offrì una tazzina di caffè e si allontanò dicendo:

«Chiedo scusa... abbiate pazienza.»

Era chiaro che le scuse me le faceva, non perché andava via, ma per tutto quello che in seguito mi avrebbe detto il marito.

«Caro ingegnere, io sono un soldato del Dubbio» esordì Colella non appena restammo soli. «Credo nel Dubbio come regola di convivenza civile. Ognuno ha la sua religione personale e la mia religione è il Dubbio. Venite con me: vi voglio far vedere una cosa.»

E così dicendo si avviò nel corridoio. Qui incrociai di nuovo la signora Amelia che ancora una volta mi biascicò sottovoce uno «scusatelo tanto», e finalmente ci sedemmo in una stanza semibuia dove un pianoforte giganteggiava in mezzo a un mare di partiture musicali, dischi, libri e portacenere non svuotati.

«Guardate qua» disse il maestro, mostrandomi un quadro coperto da una tendina di seta damascata. «Questo è il mio Santo!»

Tirò una cordicella, la tendina si alzò, e comparve un grande punto interrogativo tutto fatto di lampadine mignon. Subito dopo il maestro girò un interruttore e le lampadine cominciarono ad accendersi e spegnersi a intermittenza, come quelle degli alberi di Natale.

«Scusatelo tanto.»

Mi voltai e vidi la signora Amelia, sulla soglia, che con lo sguardo implorava comprensione.

«Amè, facci parlare» esclamò il maestro, invitandola a uscire. Poi m'indicò una poltroncina di plastica e mi disse: «Ingegné, sedetevi e seguitemi con attenzione: nel mondo ci sono i punti interrogativi e i punti esclamativi, i soldati del Dubbio e quelli della Certezza Assoluta. Quando incontrate un punto interrogativo, non abbiate paura: è sicuramente una brava persona, un democratico, un uomo con il quale potete discutere ed essere in disaccordo. I punti esclamativi invece sono pericolosi: sono i cosiddetti uomini di Fede, quelli che prima o poi prendono le "decisioni irrevocabili". Ora ricordatevi quello che vi dico: la Fede è violenza, qualsiasi tipo di Fede, religiosa, politica e sportiva. Dietro ogni guerra c'è sempre un uomo di Fede che ha sparato il primo colpo. In Irlanda, in Libano, in Iran, la Fede si aggira con la falce tra le mani e i vestiti lordi di sangue, e quando uccide lo fa sempre in nome dell'amore. A me papà insegnò che il Dubbio è il padre della Tolleranza e della Curiosità. I giovani sono curiosi, ma non sono capaci di essere tolleranti, i vecchi sono tolleranti, ma hanno perso il gusto della curiosità, i grandi uomini invece sanno essere curiosi e tolleranti nello stesso tempo. Chi ha Fede è come se già sapesse tutto in anticipo: non ha dubbi, non è capace di meraviglia, e come dice Aristotele: "La meraviglia è il principio della ricerca". Chi ha Fede non è disposto a riconoscere i propri errori, e noi senza l'aiuto degli errori non siamo nessuno. La Fede è

obbedienza pronta, cieca e assoluta. Papà mio era professore di filosofia. Quando qualcuno telefonava a casa e gli chiedeva "Siete voi il professor Colella?", rispondeva sempre "Può essere", e non lo faceva per fare dello spirito, ma perché veramente non era sicuro di esserlo.»

«Un minimo di Fede ci vuole, però, per iniziare un'impresa. Senza la Fede non avremmo scoperto l'America e la penicillina.»

«Sì, però deve essere una Fede che nasce dal Dubbio,» ribatte il maestro «che sappia imparare dagli errori: quella che io chiamo "la Fede a occhi aperti".»

«Come sarebbe a dire: a occhi aperti?»

«Vi faccio un esempio: supponiamo che, quando ci saranno le elezioni, io vada a votare per il partito comunista. Ebbè, se c'è un partito in Italia che richiede un po' di Fede, questo è il partito comunista! Siete d'accordo con me?»

«Be', sì: è sicuramente un partito di Fede.»

«Benissimo, allora io che faccio: prima di andare a votare, telefono al segretario del partito e gli dico: "Compagno segretario, io vi vorrei votare, però ho paura che, una volta andati al governo, voi diventiate subito antidemocratici". "Ma che scherziamo!" protesterebbe lui, "noi siamo il partito democratico per eccellenza! Lo abbiamo dimostrato in tutti questi anni." "Sì, d'accordo," risponderei io, "siete democratici, ma adesso che state all'opposizione, io poi che ne so che una volta al potere non cambiate idea. Anche Robespierre, da studente, fece una tesi di laurea contro la pena di morte, e poi ammazzò tutta quella gente." A questo punto, secondo me, il compagno segretario mi manderebbe a quel paese e mi direbbe. "Uè, compagno Colella,* ***fa' chello ca vuò tu*****: se ci vuoi votare ci voti, e se no,*** ***nun ce passe manche p'a capa*****! Ricordati però che se non hai un po' di Fede non vincerai mai nessuna battaglia".»**

«E allora?»

«E allora io voterei comunista, ma con gli occhi aperti: sempre attento a quello che succede. Insomma non andrei mai a marciare contro i carri armati nemici come fanno i ragazzi di Khomeini. Riassumendo, il Dubbio non è un'ideologia ma un metodo. Si può essere dubbiosi, ovvero scettici, e continuare ad avere un'idea per cui battersi. Io sono uno scettico, ma ciò non toglie che sono anche cristiano, comunista e tifoso del Napoli. L'importante è essere cristiano scettico, comunista scettico e tifoso scettico!»

«Ma, almeno quando vi sedete al piano,» gli chiesi io «vi abbandonate al piacere della musica? Credete in quello che state suonando?»

«Non sempre:» rispose il maestro, dando uno sguardo al punto interrogativo che continuava a lampeggiare «quando suono Beethoven, per esempio, ho sempre il dubbio che la musica venga direttamente dal cielo e che io stia suonando in play-back!»

XII
I neoplatonici

Plotino

«Plotino sembrava si vergognasse di avere un corpo: a causa di questo complesso non volle mai raccontare nulla di sé, della sua origine, dei suoi parenti e della sua patria, e neppure volle mai farsi riprendere da un pittore o da uno scultore. Ad Amelio che gliene domandava il permesso, rispose: "È già abbastanza faticoso portarsi dietro questo involucro che la natura ci ha messo intorno, non vedo perché farlo diventare ancora più duraturo, ritraendolo, come se poi fosse una cosa degna di essere guardata". Ma Amelio aveva un amico, Carterio, che era uno dei migliori pittori di quel tempo, e lo fece assistere più volte alle lezioni di Plotino, in modo che potesse guardarlo con comodo, per fargli un ritratto a memoria.»[1]

Così comincia la «Vita di Plotino» scritta dal discepolo Porfirio. Plotino è un altro dei filosofi africani: nacque a Licopoli nel 205 d.C. nel medio Egitto, e fin da piccolo mostrò una predisposizione all'ascetismo. Era un ragazzo strano, introverso, poco disposto a giocare con i compagni e diciamo pure non del tutto normale, se è vero che a otto anni sentiva ancora il bisogno di tornare di tanto in tanto

[1] Porfirio, *Vita di Plotino*, 1 (trad. it. in Plotino, *Enneadi*, a cura di V. Cilento, 3 voll. Laterza, Bari 1947-49, vol. I, pagg. 1-41).

dalla balia per succhiarle il seno.[2] Nel 233 lo troviamo in piena crisi mistica: nessuno dei filosofi che aveva frequentato era riuscito a soddisfare il suo bisogno di spiritualità, finché un bel giorno un amico non gli presenta Ammonio Sacca. Plotino ascolta il nuovo maestro, e dice all'amico: «Era proprio quello che cercavo!».

Col passare degli anni aumenta in Plotino la voglia di conoscere le filosofie orientali, quelle dei persiani, dei Magi, dei Gimnosofisti e degli indiani, come già a suo tempo aveva fatto Pirrone. L'occasione gli si presenta sottoforma di spedizione militare quando Gordiano III decide di attaccare i persiani.[3] Sfortunatamente però per Plotino, Gordiano non era Alessandro: l'imperatore non fece in tempo a mettere piede in Mesopotamia che fu sbaragliato sul campo e ucciso dai suoi stessi soldati. Il filosofo si salvò a stento scappando prima ad Antiochia e poi a Roma. Aveva quarant'anni suonati e scarse attitudini per il lavoro manuale, che poteva fare? Finì con l'aprire una scuola di filosofia, o, per meglio dire, una comunità filosofico-religiosa.

Da Plotino andavano un po' tutti: amanti della filosofia, medici, ragazzi e ragazze qualsiasi, vedove, semplici curiosi e senatori romani; uno di questi, Rogaziano, per seguire il suo insegnamento, rinunziò alle ricchezze, alle cariche di governo e agli schiavi.[4] Dato il credito che riscuoteva presso la popolazione, spesso a Plotino venivano affidati i rampolli delle famiglie nobili perché li istradasse a una vita di pensiero. I locali della scuola appartenevano a una discepola, Gemina, che in seguito divenne anche sua moglie.

Scopo della dottrina neoplatonica era il distacco dal sensibile e il congiungimento col divino, fino ad arrivare al culmine dell'*estasi*, una specie di orgasmo spirituale in cui

[2] *Ibid.*, 2.
[3] *Ibid.*, 3.
[4] *Ibid.*, 7.

l'adepto si annientava come individuo per confondersi con il Tutto, cioè con Dio. Porfirio, il biografo, ammette di aver conosciuto l'*estasi* una sola volta nella vita, all'età di sessantotto anni. Plotino, invece, ci sarebbe riuscito per ben quattro volte.[5]

Tra gli ammiratori vanno ricordati anche l'imperatore Gallieno e sua moglie Solonina. A essi Plotino chiese di fondare per i soli filosofi una nuova città in Campania, da chiamare Platonopoli, dove fosse possibile vivere secondo le leggi di Platone. Gallieno e Solonina erano d'accordo, ma il progetto non venne mai iniziato a causa delle gelosie che Plotino suscitava a corte.[6] Chiariamo subito che l'obiettivo di Plotino non era quello che Platone, sei secoli prima, aveva cercato di realizzare a Siracusa: il divino Platone voleva sul serio modificare la struttura della società, Plotino invece si accontentava di un'oasi di pace a disposizione dei filosofi.

Fino a cinquant'anni, Plotino non volle mai scrivere un rigo, anche perché a suo tempo, insieme ai condiscepoli Erennio e Origene, aveva promesso ad Ammonio Sacca che non avrebbe mai messo per iscritto le sue dottrine. Racconto questi dettagli per evidenziare come nelle scuole filosofiche di genere mistico ci fosse sempre un pizzico di pitagorismo, una smania cioè di setta segreta. Il primo a infrangere il divieto di divulgazione fu Erennio, poi Origene e infine Plotino, che scrisse in poco più di quindici anni cinquantaquattro libri, divisi poi in sei gruppi da Porfirio, e passati alla storia col titolo di *Enneadi* (in quanto ogni gruppo era formato di nove scritti; in greco *ennea* significa nove). Da notare che, quando si decise a scrivere, Plotino era ormai quasi cieco, per cui redigeva il suo testo di getto e senza nessuna possibilità di rilettura.[7]

5 *Ibid.*, 23.
6 *Ibid.*, 7.
7 *Ibid.*, 8.

A causa di una malattia della pelle, che gli ricoprì di piaghe le mani e i piedi, decise di abbandonare Roma per andare a vivere vicino a Minturno, nella villa di un discepolo. Morì a sessantasei anni mentre pronunziava queste parole: «Io mi sforzo di ricondurre il divino che è in me al divino che è nell'universo». Contemporaneamente i presenti videro un serpente spuntare da sotto il suo letto e scomparire attraverso un buco della parete.[8]

Forse, più che un filosofo, era un poeta o un capo religioso. Di lui Sant'Agostino disse: «Cambiate solo qualche parola al suo pensiero e avrete un cristiano».

Il sistema di Plotino

Secondo Plotino c'erano tre *Persone* che formavano il mondo intellegibile: l'Uno, l'Intelletto e l'Anima.[9] È una Trinità che ricorda un po' quella cristiana, ma a differenza del Padre, del Figlio e dello Spirito Santo, le tre *Persone* dei neoplatonici hanno un diverso peso gerarchico: la prima, l'Uno, ha creato per *emanazione* la seconda, e la seconda, l'Intelletto, ha creato per *emanazione* la terza, così come la terza, l'Anima, ha generato il mondo sensibile. Inoltre, l'Uno è *comprensivo* anche dell'Intelletto, che a sua volta *comprende* l'Anima e il mondo sensibile. Avete presente le matrioske, quelle bambole russe che s'incastrano l'una dentro l'altra? Ebbene, fate conto che l'Uno sia la bambola più grossa, quella che racchiude tutte le altre, l'Intelletto la bambola che viene subito dopo, l'Anima la terza e, infine, il mondo sensibile, la più piccola di tutte.

[8] *Ibid.*, 2.

[9] Nei manuali di filosofia queste Persone vengono di solito chiamate *Ipostasi* o *Sostanze*: entrambi i termini vogliono dire «stare sotto», rispettivamente dal greco *hypó stásis* e dal latino *sub stantia*. La sostanza infatti «sta sotto» l'apparenza. In questo caso però, dovendo indicare entità che fanno parte del mondo *sovrasensibile*, noi, a scanso di equivoci, preferiamo usare il termine «Persone».

L'Uno di Plotino ha qualcosa di presocratico: rassomiglia molto all'Uno di Parmenide e si trova in ogni aspetto della natura, proprio come l'aria di Anassimene e l'*àpeiron* di Anassimandro: è Tutto, comprende Tutto e, in quanto Tutto, non conosce limiti di sorta. La sua caratteristica fondamentale è quella di essere infinito.

Trovandoci a parlare del sovrasensibile, varrà forse la pena di confrontare la «visione del mondo» di Plotino con quella dei suoi più illustri predecessori: Platone e Aristotele.

Il Dio di Platone è il *Bene in sé*, ovvero la più importante di tutte le Idee. Non è chiaro però se questa Idea del Bene sia anche un Dio creatore dell'Universo; sembra piuttosto che, come il Sole, si limiti a illuminare un Mondo che già esiste, donandogli solo la possibilità di essere visto.[10]

Aristotele, invece, è più esplicito: nega l'esistenza dell'infinito in atto, giudicando l'infinito stesso non un pregio, ma un difetto, un'incompiutezza. Il Dio aristotelico è esterno all'Universo, si fa i fatti suoi, e probabilmente non ritiene il Mondo degno di considerazione. Il pensiero di un Dio così è quindi rivolto solo verso se stesso, e si riduce a «pensiero del pensiero».[11]

Per Plotino la seconda *Persona* è l'Intelletto (il *Nous*), o Spirito, o Essere che dir si voglia. In altre parole, sarebbe l'insieme di tutte le realtà intellegibili esistenti, quelle che per Platone costituivano il Mondo delle Idee. Ma mentre l'Uno è unico, l'Intelletto è molteplice. Il suo mestiere è contemplare l'Uno e generare l'Anima, che è la terza *Persona*, «l'ultima Dea», ovvero l'ultima delle realtà intellegibili.[12] L'Anima, come si è detto, crea il mondo sensibile.

Dato fondamentale del sistema di Plotino è il movimento di «andata e ritorno» tra il vertice e la base: ognuna delle

[10] Platone, *Repubblica*, 508-509 b.
[11] Aristotele, *Metafisica*, XII, 9, 1074 b, 28-35.
[12] Plotino, *Enneadi*, IV, 8, 5 (trad, it. cit. sopra, nota 1).

tre *Persone*, infatti, genera, per *emanazione*, verso il basso e, nello stesso tempo (a eccezione dell'Uno ovviamente), contempla verso l'alto.[13]

Scopo finale della vita è la contemplazione dell'Uno. Come riuscirci? «È semplice» risponde Plotino, «basta eliminare il resto!»[14] e nel resto, temo, ci sono tutte le cose che ci interessano nella vita: gli affetti, il lavoro, le donne, l'arte, il gioco, lo sport e via dicendo. Lui ci riusciva benissimo. Ecco come descrive l'estasi, che in greco (*ékstasis*) vuol dire appunto «fuoriuscita da sé»:

«Spesso sveglio me stesso, abbandonando il mio corpo; straniero a ogni cosa, vedo la più straordinaria bellezza che si possa immaginare. In quei momenti sono convinto di possedere un destino superiore. Il mio rapimento è il grado più alto che si possa raggiungere nella vita: sono unito all'essere divino e mi specchio in lui al di sopra di tutti gli altri esseri intellegibili.»[15]

Non tutti gli uomini sono in grado di elevarsi. Solo tre categorie, sembra, ce la possono fare: i musici, gli amanti e i filosofi. I musici, con l'aiuto della filosofia, hanno la possibilità di passare dalla soavità dei suoni sensibili a quella dei beni spirituali; gli amanti devono trascurare la bellezza corporea e tendere a quella incorporea; e i filosofi non devono fare nulla di strano, giacché, in quanto filosofi, sono già belli e pronti per la contemplazione.[16]

[13] *Ibid.*, V, 3, 17.
[14] Plotino, *Enneadi*, V, 3, 17.
[15] *Ibid.*, IV, 8, 1.
[16] *Ibid.*, I, 3, 1-3.

XIII
Renato Caccioppoli

Quando voglio vantarmi di qualcosa, dico: «Ho fatto Analisi e Calcolo con Caccioppoli!».

1948, Università di Napoli, biennio di ingegneria. L'aula di via Mezzocannone è affollata fino all'inverosimile: per trovare un posto a sedere sono arrivato un'ora prima. Sono le dieci: siamo in attesa di Renato Caccioppoli. A sentire le sue lezioni ormai vengono persone di ogni tipo: studenti che debbono fare l'esame, altri studenti che lo hanno già fatto e perfino gente che non c'entra per nulla con Analisi matematica: gente di Medicina, di Lettere, curiosi e uomini di cultura. Siamo tutti i suoi discepoli.

Arriva Caccioppoli. È, come sempre, elegantissimo: abito scuro, da sera, un po' sgualcito e sporco di gesso sulle maniche, ma con tanto di gardenia all'occhiello. Probabilmente è ancora l'abito che indossava ieri. Il Maestro questa notte non deve aver dormito: avrà conversato d'amore e di politica, suonato il pianoforte, bevuto e cantato. Di notte lui non ama restare solo: va in giro per le strade di Napoli, frequenta i piccoli bar dei quartieri spagnoli, a vico Sergente Maggiore prende un cognac, a via Nardones una grappa, e poi, quando non c'è proprio più nessuno con cui discutere, ritor-

na a casa facendosi via Chiaia a piedi. E ora eccolo, fresco come una rosa, che entra tra un uragano di applausi. Saluta con un ampio gesto della mano (una mano da «pianista»). I capelli gli coprono metà della fronte. Che sia un genio, lo si capisce anche da come si muove: è serio, come deve essere uno scienziato, ma gli ridono gli occhi. Si ferma e punta l'indice su un ragazzo della prima fila.

«Sei in cucina, devi cucinarti un piatto di spaghetti. La pentola con l'acqua è sul tavolo di cucina. Il fornello è già acceso. Qual è la prima operazione che fai?»

«Metto la pentola sul fornello» risponde pronto il ragazzo.

«E se la pentola non si trova sul tavolo, ma sul piano della credenza?»

«Fa lo stesso: metto sempre la pentola sul fornello.»

«No: se sei un matematico, la metti sul tavolo di cucina e ti riconduci al caso precedente!»

Renato Caccioppoli nasce a Napoli il 20 gennaio del 1904. Suo nonno è il famoso Michail Bakunin, l'anarchico russo che credeva più ai contadini che agli operai e che aveva deciso di cominciare la rivoluzione mondiale dalle campagne del napoletano. Non sapeva che qui nel Sud il popolo è sempre stato con la monarchia. Finì col convincere solo alcuni giovani aristocratici locali, gli unici disposti a battersi contro il Potere.

Caccioppoli a ventisei anni era già titolare di Analisi algebrica e infinitesimale a Padova. Nel '33 ottiene la cattedra a Napoli. A lui dobbiamo importantissimi studi nel campo delle equazioni differenziali, delle funzioni variabili e della teoria della misura. Nel '53 l'Accademia dei Lincei lo premia come uno dei più grandi ingegni matematici della nostra

Renato
Caccioppoli
(1939).

epoca. Ma non sono certo i suoi meriti di scienziato a farcelo amare: Caccioppoli era innanzitutto uno spirito libero, poi, secondariamente, un genio, un cuore d'oro, un eccezionale pianista, un filosofo e un poeta.

La sera in cui Hitler arriva a Napoli, Caccioppoli si trova in una trattoria di Materdei. Alla fine del pranzo sale su una sedia e comunica ai presenti tutto quello che pensa di Hitler e di Mussolini. Dopo di che, insieme alla ragazza che amava, Sara Mancuso, e a due chitarristi, marcia per i vicoli di Napoli cantando la *Marsigliese*. La mattina dopo lo vengono a prendere all'alba, e solo l'intervento della zia, la professoressa di chimica Maria Bakunin, riesce a evitargli il confino: viene dichiarato malato di mente e rinchiuso nell'Ospedale psichiatrico Leonardo Bianchi.

Fu amico di Eduardo, di Gide, e di moltissimi intellettuali napoletani. Era quello che si dice un comunista sui generis: non volle mai diventare membro del partito. Affascinante conversatore, predicatore errante, dava per il Pci comizi indimenticabili. Innanzitutto si sceglieva le piazze più difficili, le roccaforti della buona borghesia, poi si scagliava contro l'ipocrisia dei benpensanti, la protervia del clero, la ferocia di Stalin, cantandole chiare un po' a tutti, e non solo agli avversari. Era un tollerante, ma anche un ribelle: un giorno prese a pistolettate tutti i mobili antichi che aveva in casa.

Le sue sedute di esame, tranne per chi stava «sotto», erano uno spettacolo assicurato: i presenti si divertivano come matti. Un giorno venne un ragazzo che, non avendo mai studiato il greco, ignorava l'esistenza della lettera epsilon (ε). Ecco come andò l'esame:

«Dato un "tre" piccolo a piacere...» cominciò il ragazzo.

«Come sarebbe a dire: un "tre"?» chiese Caccioppoli stupito.

«Un "tre"» ripeté lo studente e indicò l'epsilon che aveva appena disegnato sulla lavagna.

«Nel senso» chiese il professore «che, volendo, potrei chiederlo ancora più piccolo?»

«Sì.»

«E allora me lo faccia più piccolo.»

Il ragazzo lo ridusse della metà.

«No, così non mi basta, lo voglio ancora più piccolo.»

La gag continuò finché il poverino non riuscì più a rimpicciolire la sua epsilon tra le sghignazzate di tutti noi del «classico».

Anche io, in verità, non me la cavai troppo bene in Calcolo: ebbi quello che lui chiamava «un 21 di scoraggiamento».

«Meriterebbe di più,» mi disse Caccioppoli congedandomi «ma io spero che questo 21 la induca a cambiare facoltà: lei, caro ragazzo, ha una discreta fantasia, forse potrebbe diventare anche un poeta. Senta il consiglio di un esperto: abbandoni l'ingegneria e faccia il paroliere.»

Una notte, verso l'una, lo trovai seduto sugli scalini della chiesa di Santa Caterina. Pensai che si sentisse male e gli chiesi se avesse bisogno di qualcosa. M'invitò a sedere accanto a lui. Poi mi parlò del potere terapeutico della misura. Disse: «Quando hai paura di qualcosa, cerca di prenderne le misure e ti accorgerai che è poca cosa». Credo che fosse ubriaco, non per la massima, che era eccezionale, ma perché mi dette del tu.

La donna che amava lo abbandonò da un giorno all'altro. Si dice che fosse scappata a Capri con un compagno di partito. Era l'8 maggio del '59. Renato Caccioppoli si suicidò quel pomeriggio stesso nel suo appartamentino di palazzo Cellamare. Il giorno prima, parlando con alcuni studenti, aveva detto: «Tutti i fallimenti possono essere perdonati, tranne quello del suicidio: quando uno ha deciso, non può sbagliare!». E lui non sbagliò: posizione orizzontale, nuca sul cuscino, colpo alla tempia. Aveva cinquantacinque anni. Quando lessi la notizia, non me ne stupii affatto, anzi, mi meravigliai che non fosse accaduto prima: era troppo russo, troppo ironico, troppo personaggio di Dostoevskij, per aspettare pazientemente una morte naturale. L'amore, nella sua vita, deve aver avuto un peso decisivo. Lucio Villari mi ha raccontato che un giorno, in casa della matematica Maria del Re, fu chiesto a Caccioppoli quale fosse, secondo lui, la frase più importante della storia, e mentre tutti si aspettavano chissà quale messaggio, lui rispose semplicemente: «Al cuore non si comanda». «E la scoperta più utile?» «Il metodo Ogino-Knaus, quando funziona.» «E la peggiore?» «Il metodo Ogino-Knaus, quando non funziona.»

Perché ho incluso Renato Caccioppoli nella mia storia della filosofia greca? A quale scuola di pensiero potrei avvicinarlo? A tutte e a nessuna: era un eclettico.

Tra il secondo e il primo secolo avanti Cristo, nel mondo greco-romano, cominciarono a fiorire gli eclettici. Non si trattava di una vera e propria scuola filosofica, ma di un modo di pensare che prendeva da ogni dottrina quello che c'era di buono da prendere. Se lo scetticismo aveva affermato che niente era vero, l'eclettismo, in base a premesse analoghe, cominciò a sostenere che tutto doveva essere un po' vero. E, dal momento che più passava il tempo e più i principi dei vari capiscuola si andavano affievolendo, venne fuori una specie di miscuglio di saggezze diverse, che passò alla storia con il nome di eclettismo. Tra gli eclettici più famosi ricordiamo Filone di Larissa, Antioco di Ascalona e il grande Cicerone.

Renato Caccioppoli, così innamorato della libertà, dei piaceri, degli amici, del vino e della buona tavola, era sicuramente un epicureo. La sua solidarietà con gli umili ricorda il rapporto che Epicuro aveva con i diseredati. Nello stesso tempo, però, c'era in lui qualcosa di stoico. Il professore Felice Ippolito racconta che un giorno suo padre, grande appassionato di Wagner, malgrado avesse in corso un attacco di appendicite, non volle perdersi la prima del *Tristano e Isotta*, e ci andò insieme a Caccioppoli. Dopo lo spettacolo, l'ingegnere Ippolito fu ricoverato d'urgenza in ospedale, e lì, mentre era in attesa di entrare in sala operatoria, Caccioppoli gli strinse una mano e gli disse:

«Come t'invidio! Soffrire per la morte d'Isotta e contemporaneamente sentire dolori lancinanti alla pancia!»

Ma Caccioppoli era anche un cinico: un giorno a Padova, quando aveva già la cattedra di Analisi, si vestì da straccione, si fece crescere la barba, e dopo essersi tolto tutti i soldi dalle tasche, prese un treno in terza classe per Milano. Voleva provare che cosa volesse dire essere povero. Dopo cinque giorni venne arrestato per accattonaggio.

Non si può trascurare infine il suo scetticismo di fondo. Racconta l'onorevole Luciana Viviani: «Negli anni Cinquanta militavamo entrambi tra i Partigiani della pace, partecipavamo a marce, manifestazioni per il disarmo, comizi eccetera. Mentre noi giovani, però, eravamo pieni di entusiasmo e di sacro furore, lui restava sempre un po' ironico, dubbioso, disincantato. A chi gli chiedeva il perché di questo distacco, rispondeva: "Non ho certezze, al massimo probabilità"».

Indici

Indice dei nomi

Indice generale

OSCAR BESTSELLERS

Follett, Il Codice Rebecca
Bevilacqua, La califfa
Follett, L'uomo di Pietroburgo
Ludlum, Il treno di Salonicco
Cruz Smith, Gorky Park
Krantz, La figlia di Mistral
García Márquez, Cronaca di una morte annunciata
Forsyth, Il giorno dello sciacallo
Follett, Triplo
Follett, La cruna dell'Ago
Tacconi, La verità perduta
Fruttero & Lucentini, Il palio delle contrade morte
Follett, Sulle ali delle aquile
Krantz, Princess Daisy
Forsyth, Il quarto protocollo
De Crescenzo, Così parlò Bellavista
Forsyth, L'alternativa del diavolo
Robbins H., Ricordi di un altro giorno
Forsyth, Dossier Odessa
Robbins H., I mercanti di sogni
Lapierre - Collins, Il quinto cavaliere
Forsyth, I mastini della guerra
Freeman, Illusioni d'amore
Bevilacqua, Il curioso delle donne
Fruttero & Lucentini, A che punto è la notte
Lapierre - Collins, "Parigi brucia?"
Puzo, Il padrino
Lapierre - Collins, Gerusalemme! Gerusalemme!
Tacconi, Lo schiavo Hanis
De Crescenzo, Storia della filosofia greca. I presocratici
Le Carré, La spia che venne dal freddo
De Crescenzo, Storia della filosofia greca. Da Socrate in poi
Higgins, La notte dell'Aquila
Lapierre - Collins, Alle cinque della sera
Bevilacqua, La donna delle meraviglie
Krantz, Conquisterò Manhattan

Bocca, La Repubblica di Mussolini
MacBride Allen, L'Anello di Caronte
Curcio - Scialoja, A viso aperto
Toso, Il colore del mattino
Brooks, I talismani di Shannara
Greer, La seconda metà della vita
D'Orta, Romeo e Giulietta si fidanzarono dal basso
Utley, Toro Seduto
AA.VV., Aforismi su denaro, ricchezza e povertà
Rocca, Avanti, Savoia!
Ellroy, White Jazz
Durrani, Schiava di mio marito
Cornwell, Postmortem
Asimov, La fine dell'eternità
Grisham, Il cliente
Vacca, Il medioevo prossimo venturo
Asimov, Tutti i racconti (vol. I, parte II)
Salk, Kingdoms
Salvi, 101 Buddhanate Zen
Le Carré, Una piccola città in Germania
Pilcher, La camera azzurra e altri racconti
Regan, Il Guinness dei fiaschi militari
Resca - Stefanato, Scoppia il maiale, ferito un contadino
Chang, Il Tao dell'amore
Abrescia, Enciclopedia di Dylan Dog
Sterling, Cronache del basso futuro
Turow, Ammissione di colpa
Asimov, Il meglio di Asimov
Sclavi, Tutti i misteri di Dylan Dog
Ravera, In quale nascondiglio del cuore
Blatty, Gemini Killer
Fraser, Le sei mogli di Enrico VIII
Cruz Smith, Red Square
Sclavi, Tutti gli incubi di Dylan Dog
Ballestra, Compleanno dell'iguana
Weis - Hickman, I draghi dell'alba di primavera
Gibson, La notte che bruciammo Chrome
Campbell, Il racconto del mito
Pellegrino, Diario di uno stupratore
Jacquin, Storia degli indiani d'America
Blatty, L'esorcista
Sgorlon, Il trono di legno
Cervari, L'Immortale
Pasini, Volersi bene, volersi male
AA.VV., Vita di padre Pio attraverso le lettere
Asimov, Preludio alla Fondazione
Zavoli, La notte della Repubblica
Castellaneta, Navigli

Fogle, 101 domande che il vostro cane vorrebbe fare al suo veterinario

De Crescenzo, Raffaele

Cillario, Parola di Benito

Messori, Opus Dei

Asimov, Il paria dei cieli

Asimov, Il crollo della Galassia centrale

Asimov, Fondazione e Terra

Asimov, I robot dell'alba

Asimov, Abissi d'acciaio

Asimov, Il club dei Vedovi Neri

Storr, Solitudine

Mack Smith, Le guerre del Duce

Pasini, La qualità dei sentimenti

McBain, Mary Mary

Moggach, La controfigura

Togawa, Un bacio di fuoco

Forattini, Bossic Instinct

Salvalaggio, Il campiello sommerso

Drummond, Prigionieri d'amore

Anderson, La Pattuglia del Tempo

Gibson - Sterling, La macchina della realtà

Todisco, Rimedi per il mal d'amore

Farmer, Il labirinto magico

Filo Della Torre, Elisabetta II

Carmichael, Attrazione selvaggia

Angela, La straordinaria storia della vita sulla Terra

AA.VV., Stupidario giuridico

Iacchetti, Il pensiero bonsai

Baschera, Io ti guarirò

Petacco, La regina del Sud

Roe, Pratiche pericolose

Nizzi, Nick Raider. Squadra Omicidi

Wood, Vergini del Paradiso

Gibson, Giù nel Ciberspazio

Dolto, Il desiderio femminile

Willi, Che cosa tiene insieme le coppie

Hayslip - Wurts, Quando cielo e terra cambiarono posto

Vespa, Telecamera con vista

Angela, La straordinaria storia dell'uomo

Petacco, La principessa del Nord

Dé, Notti stellate

Tacconi, Il pittore del Faraone

Forattini, Il mascalzone

Bazzocchi, Incredibile ma vero...

Brooks, Il ciclo di Shannara

Venè, Mille lire al mese

Moody, Nuove ipotesi sulla vita oltre la vita

Monduzzi, Manuale per difendersi dalla mamma

Asimov, Azazel

Mafai, Pane nero

Asimov, Lucky Starr e gli oceani di Venere

Brown D., Seppellite il mio cuore a Wounded Knee

Asimov, Il libro di biologia
Asimov, Lucky Starr e il grande sole di Mercurio
Gìes, Si chiamava Anna Frank
Mosse, Intervista sul nazismo
Bonelli - Galleppini, Tex l'implacabile
Asimov, I robot e l'Impero
Tremonti, La riforma fiscale
Grisendi, Giù le mani, maschio
AA.VV., Gli aforismi del cinico
Rea, Ninfa plebea
Pasini, Il cibo e l'amore
Forsyth, Il pugno di Dio
Follett, Una fortuna pericolosa
Nolitta - Ferri, Zagor contro il Vampiro
Masini, Le battaglie che cambiarono il mondo
Pilcher, Le bianche dune della Cornovaglia
Norman, Stelle infrante
Castelli - Sclavi, Dylan Dog & Martin Mystère
Irving, Göring, il maresciallo del Reich
Weis - Hickman, La guerra dei gemelli
Pensotti, Rachele e Benito
Gerosa, Carlo V, un sovrano per due mondi
Sclavi, Tutti i mostri di Dylan Dog
Spinosa, Cesare, il grande giocatore
Asimov, Le correnti dello spazio
Asimov, Neanche gli Dèi
Asimov, L'altra faccia della spirale
Buscaglia, Nati per amare
Ka-Tzetnik 135633, La casa delle bambole
Loy, Sogni d'inverno
Zecchi, Sillabario del nuovo millennio
Grisham, L'appello
AA.VV., Storie fantastiche di spade e magia (vol. I)
Castellaneta, Le donne di una vita
Resca - Stefanato, Il ritorno del maiale
Davis, Philadelphia
Sgorlon, Il regno dell'uomo
McBain, Kiss
Asimov, Tutti i racconti (vol. II, parte I)
Asimov, Tutti i racconti (vol. II, parte II)
Rendell, La morte non sa leggere
Benford, Il grande fiume del cielo
Farmer, Gli dei del fiume
Manfredi, Le paludi di Hesperia
Di Stefano, Stupidario medico
Collins L., Aquile nere
Daniele, Chi è felice non si ammala
August - Hamsher, Assassini nati. Natural Born Killers
Ottone, Il tramonto della nostra civiltà

AA.VV., Storie fantastiche di spade e magia (vol. II)
Giacobini, La signora della città
Vespa, Il cambio
Ross, La camera chiusa
Petacco, La Signora della Vandea
Sgarbi, Le mani nei capelli
Disegni, Esercizi di stile
Fischer, Più importante dell'amore
Toscano, Morte di una strega
Fromm, L'arte di amare
García Márquez, Dell'amore e di altri demoni
Buscaglia, La via del toro
Salvalaggio, Vangelo veneziano
Cardella, Una ragazza normale
Thompson, L'angelo bruciato
Katzenbach, La giusta causa
Castellaneta, Progetti di allegria
Villaggio, Fantozzi saluta e se ne va
Rendell, I giorni di Asta Westerby
Allegri, I miracoli di Padre Pio
Quilici, I Mari del Sud
Brooks, La sfida di Landover
Brooks, La scatola magica di Landover
Bocca, Il sottosopra
Follett, I pilastri della terra
Buscaglia, Vivere, amare, capirsi
Spaak, Un cuore perso
Giussani, I mille volti di Diabolik
Le Carré, Il direttore di notte
Sclavi, Tutte le donne di Dylan Dog
Medda, Serra & Vigna, Nathan Never. Memorie dal futuro
Lapierre, La città della gioia
García Márquez, Taccuino di cinque anni 1980-1984
Høeg, Il senso di Smilla per la neve
Borsa, Capitani di sventura
Bonelli - Galleppini, Tex, Sangue Navajo
Carr, L'alienista
AA.VV., Splatterpunk
Nasreen, Vergogna (Lajja)
Regan, Il Guinness degli aneddoti militari
Dick, Memoria totale
Rendell, La leggerezza del dovere

31490
1997

«Storia della filosofia greca
da Socrate in poi»
di Luciano De Crescenzo
Oscar Bestsellers
Arnoldo Mondadori Editore

Questo volume è stato stampato
presso Arnoldo Mondadori Editore S.p.A.
Stabilimento Nuova Stampa - Cles (TN)
Stampato in Italia - Printed in Italy